美輪明宏の
おしゃれ大図鑑

Akihiro Miwa
Oshare Daizukan

SHUEISHA

プロローグ

美しいモノに
囲まれていれば、
人は自然に
美しくなります

TSU
SEIBU
the music mas
TOWER

MSUNG
9F
8F
イーオン 6F
THE
RIME
uc
MasterCard
VISA
Taisei neon
サロン
SEED
SUPER LISA
MORE
SUMMER

この絵をごらんになって、みなさんは何をお感じになりますか？
渋谷の街を背景にポーズを取っているのは、
中原淳一《なかはらじゅんいち》さんが描いた、何十人もの女性たち。
可愛くて上品で、なんて素敵なお嬢さんたちでしょう！
いつも見慣れた渋谷の街とは、なんという違いでしょう！
美しい装いの人たちが集えば、そこは美しい街になるのです。
では、人を美しくするものは、なんなのでしょう？
それは、『美意識』です。
どんな服を着るか、どんな部屋に住むか、どんな音楽を聴くのか。
どんな言葉を話し、どんな絵を飾り、どんな詩を読むのか。
どんな映画を観て、どんな舞台に感動して、どんな物語に涙するのか。
人生すべての事柄に関して、日々の暮らしの隅々にまで、
磨きに磨いた美意識を張りめぐらせることによって、
その人の人生は特別な美しさを手に入れます。
美しいモノに囲まれていれば、その人は自然に、美しくなるのです。

かつて、私の友人であり、詩人の寺山修司《てらやましゅうじ》は言いました。
「人はみな、自分の人生を演じている」と。
そうです、世の中の人はみな、
人生という舞台の上で、自分の役柄を演じているのです。
そしてあなたの役柄は、
ほかでもない、あなた自身が選び取ったもの。
あなたが着ている服は、あなたが選んだ衣装。
あなたが話す言葉は、あなたの台詞《せりふ》。
あなたのしぐさは、そのままあなたのキャラクターを表すもの。
下品な服を着て、汚い言葉を使い、不機嫌な顔をしている人は、
決して主役にはなれません。自分が脇役にすぎない人間だということを、
世間にアピールしているようなものです。
美しい服を着て髪型を整え、
丁寧な言葉遣いで品位のある態度を見せれば、
スポットライトは迷わずあなたを照らし出します。

何が美しいのかを知らなければ、美しくはなれません。
何が優しさなのかを知らなければ、人に優しくなれません。
強さの意味を知らなければ、本当に強くはなれません。
まずは基本的な知識を身につけましょう。
たとえばファッションなら、ギリシャ、ローマの時代から、
どういう流行を経て現代に至っているのか。
フォーマルとは何か。ドレスコードとは何か。
ものごとの歴史やベースとなる構造を知っていると、
一時的な流行に惑わされることがなくなります。
これ見よがしな広告にうろたえることもなくなります。
自分に自信が持てるようになり、
人生の可能性も、どんどん広がっていきます。
その知識が、あなたの美意識の基本となるのです。
そのうえで、あなたの周りを美しいモノで埋め尽くしてください。
優しいものとだけ、接してください。

「おしゃれ」とは、単にうわべを取りつくろうことではなく、美しく装うことで、よりよい自分と出会うこと。美しいモノに接することで、自分の内面を育てることです。どういう女性でありたいのか、どんな人間として生きたいのか、自分の進むべき方向を見定め、あなたの美意識を磨き上げていく、そのプロセスこそが、「おしゃれ」なのです。

そうするうちにあなたの周りも、あなたの人生も、いい方向に変わっていくことに気がつくでしょう。

美しい人は周囲をも、美しく変えるのです。

ファッションやメイクのみならず、言葉遣いや会話のセンス、本、映画、絵画、芝居に音楽、インテリアや恋愛に至るまで。

この本ではそんな、おしゃれの基本に役立ちそうな、さまざまなテーマを取り上げました。

人生という舞台の、主役はあなたです。

どうぞ「おしゃれ」に磨きをかけて、素敵なヒロインになってくださいませ。

もくじ

第2章 今こそ評価すべき美の伝道師たち

第三章 時代を超えて愛され続ける美のお手本

第一章

あなたを変える
いくつかの
美しい魔法

ファッションの力

おしゃれの心得

きれいな服をお召しなさい。
すっきりと品のいいデザインの服を、
あなたが素敵に見える服を着てください。
あなたが行くところ、いるところの雰囲気が
華やぐようなおしゃれを心がけてください。
あなたと出会う人が幸せになるような
おしゃれをしてください。
きっとあなた自身も、幸せになれるはずです。

中原淳一《なかはらじゅんいち》さんのドレスを再現！

中原淳一さんのデザイン画をもとにドレスを作り、それを着て街に飛び出しました。突然のお嬢様ルックに、原宿の街が化学反応を起こして、そこだけぱあっと明るくなったよう。街は歩いている人の服装によって、変わるのです

中原淳一《なかはらじゅんいち》さんのデザイン画を、あなたはごらんになったことがありますか？

ここに紹介しているのは、そのデザイン画から作った洋服を着たモデルさんたち。背景の原宿の街が、まるでパリのようにおしゃれな街並みに見えます。

中原さんがデザイン画に描いたのは、頭のてっぺんから足のつま先まで心配りの行き届いた、とてもおしゃれな女性たちでした。きちんと整えたヘアにきれいなお洋服。全体のバランスを考えて帽子やリボン、靴、手袋などなどを見事にコーディネイトしています。

こんなにきれいな女性がたくさん歩くようになったら、街は楽しくなるでしょうね。行き交う人々の気持ちも豊かに優しくなって、不景気なんてあっという間に解消されてしまうかもしれない。頻発《ひんぱつ》する事件や不幸な犯罪も、減ってくれそうな気がします。

”日本女性に似合う服“を作った人

スカートが大きくふくらんだ、真っ赤なワンピース。

清楚な白いブラウスに、流れるようなシルエットのフレアスカート。

中原淳一さんは、洋服というものを愛し、西欧において服がどうやって進化

中原淳一

なかはら・じゅんいち（1913～1983年）
香川県生まれ。日本美術学校で学んだ後、雑誌『少女の友』でデビューし、一世を風靡《ふうび》する人気画家となる。終戦後、何冊もの女性誌を創刊し、イラストレーター、ファッションデザイナー、スタイリスト、人形作家などとして多彩に活躍。昭和30年代半ば、病に倒れた

してきたかを研究なさって、服の神髄《しんずい》を極めた方でした。今どきの似非《えせ》デザイナーたちのように、売名のために奇抜なデザインや革命的なファッションを提唱しようなどとは、思いもよらない方でした。

体型が扁平《へんぺい》で胴長短足、しかも髪の毛が黒く重たい印象の日本人を美しく見せることに心を尽くし、どのような服をどう着こなせばいいのかを広めようとなさったのです。

デザイン画のモデルたちはみな目の大きな、エキゾティックな美人ですが、彼女たちの装いはどれもロマンティックで上品で、シルエットの美しいモノばかり。実際に日本人女性が着た時に最も美しく、エレガントに見える服装です。だからこそ、今の私たちから見ても新鮮で美しく、着てみたくなるお洋服なのです。

中原淳一さんは第二次世界大戦後、いち早く『それいゆ』や『ひまわり』という婦人雑誌、少女雑誌を創刊しました。

当時の日本には長年の軍国主義によって心の潤いを失い、敗戦によって着るものも食べるものも住むところもなくした人々があふれていました。みんな生きるためだけに必死でした。その人たちに中原さんは、〝美しさ〟というもの

中原さんが創刊した女性雑誌

第二次世界大戦直後の1946年、敗戦の混乱と貧困の中で女性としていかに生きるべきか、ファッションからインテリアまで扱う雑誌『それいゆ』を創刊して大ヒット。翌1947年には少女のための『ひまわり』を創刊

を思い出させてくれたのです。戦前の日本の暮らしにはたしかに息づいていた、繊細で優美な美意識を取り戻せるよう、精力的に活動を始めたのでした。

それらの雑誌には、インテリアやマナー、ヘアスタイルや身だしなみの方法などさまざまな提案が掲載されました。戦後の貧しい生活の中で、お金をかけずに手間をかけて、楽しく美しく生きていくための知恵やスタイルが満載でした。服をデザインするだけでなく、暮らし方やものの考え方に至るまでヒントを与えてくれる、彼は総合プロデューサーのような存在だったのです。

戦後、人々の暮らしが安定していくと同時に、雑誌に掲載されたスタイル画や配色のアドバイス、そして付録※の洋服の型紙は絶大な人気を集めるようになりました。

60年代にフランスのデザイナー、ピエール・カルダンがプレタポルテ（既製服）を始めるまで、服は自分のために〝仕立てる〟ものでした。当時の日本には、どの町にも2、3軒は仕立て屋さんがあり、さほどお金をかけなくても、好みの洋服を注文することができたのです。また和裁、洋裁は女性なら最低限わきまえておくべき技術であり、自分の服を自分で作るのは当たり前のことでした。

※付録の洋服の型紙

『それいゆ』などに付録としてついている型紙どおりに生地を裁断し、指定どおりに縫えば、お人形からブラウス、スカート、果てはコートに至るまで作ることができた。自分のサイズに合わせて修正も可能。みんなが自分だけの服を作り上げていた

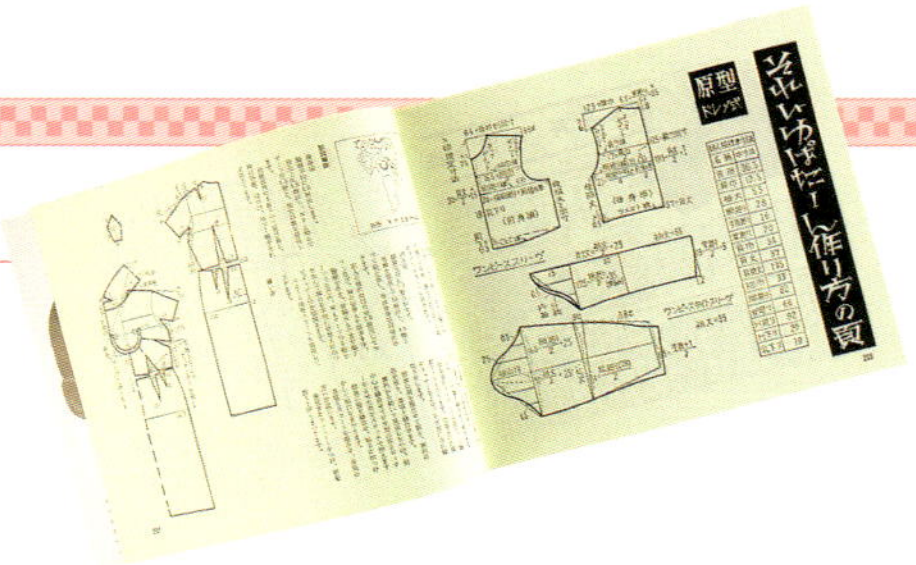

しかも当時、日本中の女性は今よりもずっと、身だしなみを大事にしていました。出かける時、人前に出る時に服を着替えることは女性として当たり前のたしなみであり、礼儀であり、節度でした。きちんとした服装を〝お出かけ着〟とか〝よそいき〟と呼んで、マナーとして帽子や手袋を合わせて装ったものです。

そんな時に大いに役立ったのが、『それいゆ』や『ひまわり』のアドバイスでした。女性たちはみな、精いっぱいのおしゃれをするために、型紙から服を作り出しました。中原流の粋《いき》な配色を参考に、帽子やスカーフ、手袋、ベルトや靴を合わせました。

雑誌という気軽なメディアを通じて惜しみなくファッションの基本的知識を提供してくれる中原さんは、昭和初期から中期にかけて、まさに

美しいAラインのワンピース

下のデザイン画を忠実に再現した真っ赤なワンピース。詰まったショールカラーにフレンチスリーブ、ローウエストの切替えから流れ出すギャザーと、繊細な技を駆使して美しいAラインに仕上がりました

小粋に着こなす中原ドレス

いかにも中原さんらしい、上品で小粋な真っ赤なワンピース。ローウエストに黒いアクセントを配した大胆な切替えと、大きく広がるフレアスカートがポイント。帽子やバッグ、手袋やブーケなど、計算され尽くした小物の使い方にも注目！

カリスマ的存在だったのです。

あなた自身が、街のインテリアです

さて今、日本の街はどんどん暗く汚くなりつつあります。なぜだかおわかりになりますか？　それは街を歩く人たちのファッションが暗く汚く、品性の劣るものばかりだからです。

今の若者たちが着ている服を見ると、男も女も目につくのはボロみたいに汚い色、体型などおかまいなしの不格好なシルエット、わざと着古したようなくたくたの生地、そして不必要に肌を露出する不自然なデザインです。70年代以降、デザイナーたちやスタイリストと称する人たちが、他人よりも目立てばよい、話題になったもの勝ちとばかりに、不格好な服ばかりを作り続けた結果、寝間着のような服装で外出しても平気な時代になってしまったのです。現時点で10代、20代の人たちはみな、生まれた頃からそういう服装しかしてこなかったので、当たり前のように汚い服装をしています。かわいそうなことだと思います。

袖を通した瞬間から気落ちしてしまいそうな、そんなむさ苦しいファッショ

ブラウス＆スカートは永遠の定番

体にフィットした白いブラウスとフレアが美しい赤のスカートの組み合わせ。フィット＆フレアの絶妙なバランスが美しい、お嬢様コーディネイトの決定版。衿もとのリボン、ウエストのベルトに黒を配して、ぴりっと引き締めている

右下のデザイン画は、こんなに可愛いコーディネイトに。
白いブラウスの清潔感が、フレアスカートの甘さをほどよく抑えている。ポニーテールや白手袋も、好感度大!

ンに身をゆだねているせいでしょう、みんな不機嫌な顔をして、ニコリともしないで道端にウンコ座りしていたり、ずるずるとだらしない様子でゾンビのように歩いています。服装のゆるみや乱れは言葉遣いや態度、物腰にも大いに影響してしまうのです。服装から態度に至るまで下品で怠惰な人間であふれかえり、街はどんどん汚れています。

冒頭で紹介した渋谷と今の渋谷を比較してみてください。同じ街並みだというのに、この印象の違いはどうでしょう! まさしく街の印象を左右するのは、そこを歩く人間たち。世の中のインテリアは、街を行き交う人間たちなのです。

みなさんはきっと、ファッションとはとても個人的なものだと思ってらっしゃるでしょう。自分が好きな時に好きな服を着るのがおしゃれだと、思っているかもしれません。でも実は、それだけではないのです。
家庭、街の中、店の中、公共施設の中など、思い浮かべてみてください。そこにいる人たちがどんな服をどう着ているかによって、その場所の雰囲気や空気は大きく異なります。それだけの影響力を、ファッションは持っています。

私が小さい頃、街は美しいモノであふれていました。映画館のポスターも歓楽街のネオンも店の看板も、素晴らしいセンスで描かれた楽しくきれいなものばかりでした。街を行く人々の装いも美しく凝ったものでした。ところが第二次世界大戦によって美しいモノはほとんど否定され、破壊され、駆逐《くちく》されてしまったのです。戦後の日本は機能性、利便性、経済効率だけを優先して、戦前の美意識を忘れてしまいました。

戦前は、アイスクリームを食べる時、わざわざ美しい切り子のグラスに盛って、目と舌で味わいながらいただいたものです。今は当時よりもずっと豊かな時代のはずなのに、使うのはせいぜい紙コップ。アイスクリームそれ自体の味はおいしくなっているのかもしれませんが、味わいという点では戦前のほうがずうっと上。雲泥《うんでい》の差といえましょう。

同じようなことが、ほかのどの分野でも起こっています。美しいメロディの

渋谷の街を比べてみると

現実の渋谷の街を歩いている人たちの服装には、美しい色や形が見当たらない。グレイや迷彩色、濁った色の、だらしない形の服を着ている人が圧倒的に多い。きれいな服を着ている人が多いと、街の印象がまったく違うことが一目瞭然!

代わりに、耳をつんざくようなロックミュージックが流れています。優美な曲線と優しい色合いで建てられていた建物群は壊され、コンクリートとガラスが直線で組み合わされた、まるで刑務所のように殺風景なビルディングが立ち並んでいます。人々の服装だけでなく、ありとあらゆるものが〝紙コップ〟なのです。だから街は汚く暗く、チープなのです。

そんな中で生きている人たちが、まともでいられるはずがありません。キレやすくなったり、ウツになったり、イライラしたり、自分を嫌いになったり……。つまり人間の肉体が、拒絶反応を起こしているのです。人間の防御反応が〝紙コップ〟ではなく、より美しいモノ、より心安らぐものを切実に求めて悲鳴を上げているのです。

まずは、きれいな服をお召しなさい。

高価な服である必要はありません。すっきりと品のいいデザインの服を、明るい色の服を、あなたが素敵に見える服を着てください。あなたが行くところ、あなたがいるところの雰囲気が華やぐようなおしゃれを心がけてください。あなたと出会う人が幸せになるようなおしゃれをしてください。あきっとあなた自身も、幸せになれるはずです。

~永遠不滅の淳一スタイル~

中原淳一さんに再び、注目が集まっています。デザイン画を再現したブラウスから文具やおしゃれ小物に至るまで、今、手にすることのできるグッズの一部を紹介します。

今見ても、おしゃれで新鮮!

中原グッズのお店『それいゆ』

ブラウス

細かいレースが甘く優しいお嬢様にぴったりのブラウス

シンプルなシルエットですが、コットンのレースをストライプ状のフリンジにすることで、清楚でありながら華やかな印象を演出

ちび衿がキュート。ダブルの打ち合わせの知性派ブラウス

淡いブルーがすがすがしさを引き立てて、知性や清潔感を感じさせる、きちんとした印象の一枚。オンでもオフでも、好感度大

レターセット

中原淳一さんが描いた花の絵の便せんと封筒がセットに。メールでも電話でもなくゆっくりと手紙を書く幸せなひとときを

淳一ブローチ

中原スタイルに欠かせない可愛いアクセサリーたち。どんな服もこれひとつでロマンティックな装いに

お財布・手鏡

日常使う品々にも美意識を。古風なデザインに鮮やかな色彩の中原テイストの小物

花シール

美少女と花がシールになったもの。持っているだけで心清らかになれそうです

バースデーブック

一年365日、友人知人の誕生日を書き込める手帳。月ごとに紹介される詩句もゆかしい

Shop Data

それいゆ

中原淳一さんのデザインしたグッズを専門に扱うお店。右ページのブラウスをはじめ、ポストカード、複製画、書籍、布バッグやTシャツなど、この店にしかない品々もたくさん。中原さんの美意識に触れたいファンには、ぜひ訪れてほしい場所です。

◆東京都渋谷区広尾5の4の16　☎03・5791・2373

※中原淳一ホームページ　http://www.junichi-nakahara.com/

中原美学のテキスト

中原淳一の本

中原さんは絵やデザインだけでなく、服の着こなしや暮らしの楽しみ方に至るまで、美意識を貫きました。それらのメッセージをまとめた本を、ご紹介します。

『中原淳一ファッションブック おしゃれの絵本』

『それいゆ』、『ジュニアそれいゆ』などに発表された中からセレクトしたスタイル画集。デザインや柄、シルエットなど中原流コーディネイトの基本がわかるきれいで楽しい一冊。配色ハンドブックつき。(平凡社)

おしゃれコラム 1 ～永遠不滅の淳一スタイル～

おしゃれとは、装うことだけではなく
普段の暮らしをいきいきと楽しむこと。
その極意を、中原さんは教えてくれた。

『美しく生きる言葉』

“美しさについて”、“愛と幸せについて” などなど、中原さんからのメッセージを集めたまさに“美の聖書”。
（イーストプレス）

『中原淳一エッセイ画集　しあわせの花束』

美しい絵と共に中原さんが遺《のこ》した、幸せになるための言葉をまとめた一冊。イラストも満載。
（平凡社コロナブックス）

『中原淳一の幸せな食卓』

季節の献立やレシピだけでなく、食の文化やセンスを追求した名著。
（集英社be文庫）

『中原淳一　きもの読本』

「日本人にはやはり着物を着て欲しい」と、選び方から着こなしまで伝授する一冊。（平凡社）

『中原淳一　絵葉書絵本』

デビューした昭和７年当時から昭和30年代まで、中原さんが描いたはがき画集。
（グラフィック社）

『あなたがもっと美しくなるために。』

新聞に2年間連載していた、おしゃれについてのエッセイをまとめた本。身だしなみという言葉の意味がわかります。
（国書刊行会）

それいゆ 復刻版

戦後すぐに創刊され乙女たちのバイブルとなった『それいゆ』を復刻。物質的には貧しかったけれど、夢を持って丁寧に心豊かに暮らしていた、昭和20年代から30年代の日々が甦《よみがえ》る。ファッションやインテリア、四季の楽しみ方など、真の意味での贅沢さが味わえる。7冊組。（国書刊行会）

香りという美意識

おしゃれの心得

顔の美しさやスタイルのよさと同じくらい、
いえ、それ以上に香りは、あなたの印象を
左右してしまうもの。そして、深く相手の
記憶に結びついてしまうものです。
ですから、香りと仲よくなってください。
香りはあなたの人生というドラマの想い出づくりを
援護射撃してくれる心強い味方にもなるのです。

これが定番の香り『タブー』

17歳の時から愛用している香水。高貴で優雅、神秘的でエレガントな印象。自分の魅力を知り尽くした大人の女にしか似合わないといわれている。「香木《こうぼく》のようなニュアンスもあり、違う世界に誘ってくれます」(ダナ)

美しさは、目に見えるものだけではありません。つい先日も、シンプルな服装でメイクアップも薄いのに、とても素敵な香りを身にまとっている女性がいました。奥ゆかしくて意表をついていてエレガントで、なんともカッコいいのです。後々までその女性の印象が残り、面影《おもかげ》が消えませんでした。

日本では、まだまだ香りを使いこなしている女性が少ないようですが、実はとても大切な要素です。顔の美しさやスタイルのよさと同じくらい、いえ、それ以上に香りは、あなたの印象を左右してしまうものなのです。

ある日突然、昔の恋人から電話が……

私は17歳くらいの頃から『タブー』という香水をつけています。『タブー』を私の基本的な定番の香りとして決めておいて、さらにその日に着るもの、行き先や時間帯、その日お目にかかる人たちの職業とか年齢に合わせて、さまざまな香りの中から最適と思われる香りを選んでいます。

『ジュルビアン』、『バラ・ベルサイユ』、「シャネル」の『N°5』、「ゲラン」の『夜間飛行』、「ディオール」の『ディオリッシモ』などなど……。定番の『タブー』をつけた上から違う香りをつけ足し、その時々のオリジナルの香りを楽

パリの女の香り『ジュルビアン』

フランス語で“私、あなたのところに戻るわね”という名を持つ香水。媚びていないのにセクシー、優しくてどこか懐かしさもあり、男性受けがとてもいい香り。「1920年代、30年代のパリを感じさせる香りです」（ウォルト）

しむこともあります。

　こんなことがありました。ある日突然、電話がかかってきたのです。昔おつきあいしていたボーイフレンドのひとりから、何十年ぶりの電話でした。

「どうしてる？　今、銀座を歩いていたら、キミと同じ香りをつけている女性とすれ違ったんだ。その瞬間にキミを思い出して、懐かしくなってね……」

　その香りと私の想い出が、彼の中で一緒になっていたのでしょう。

　また、こんなこともありました。終戦直後のある日、私は友人のアパートを訪ねたのです。まだまだ日本中が貧しくて、私自身、お化粧も華やかな服装もしていませんでした。ですが2〜3時間そこで話し込んでいたら、そのアパートの隣人たちが集まってきて、口々に言うのです。

「いい香りね。まるで天女のようだ」

　数日後、その時訪ねた友人から手紙が届きました。

「キミが去った後も、残《のこ》り香《が》がせつなくて、僕は眠れなかったよ」

　香りというのはそれほどまでに相手に深い印象を与え、記憶に結びついてしまうものなのです。

　また、香りには、魔を払う力もあるといわれています。江戸の昔、大家の町

『夜間飛行』をつけこなせたら一人前

フランスの冒険家＆文学者、サン・テグジュペリへの賞賛をこめて、彼のベストセラー小説からその名をとった名香。知的で洗練されたこの香りは、平凡な女には似合わない。（ゲラン）

娘や商家の女将《おかみ》、芸者たちはみな、着物の懐に必ず、匂い袋を入れていました。ほのかにいい香りをさせるため、だけではありません。それは魔を払うためのおまじないでした。悪魔は悪臭を好み、芳香を毛嫌いします。悪魔が寄りつかないように、江戸の女性たちは香りで武装したのです。

宗教においても、香りは活用されてきました。ロシア正教の司祭が信者の間を歩きながら香炉を振る姿を見たことがあるでしょう。仏教でも祈祷《きとう》をする時には香木《こうぼく》をたきます。それらも、魔を払うためのおまじないなのです。

香りはあなたの人生をドラマティックに変えてくれます

私は舞台でも、香りのパワーを活用してきました。私の舞台をごらんになったことのある方なら、お気づきになったでしょう。緞帳《どんちょう》が上がると舞台から客席に向かって、私の香りがじわじわと広がっていくのです。

仕掛けは簡単。開演直前に、緞帳の裾と私の衣装に、オーデコロンをたっぷりと振っておくのです。お芝居や歌でお客様の目や耳を楽しませるのに、鼻だけ冷遇するわけにいきません。音楽や照明と同様に、私ならではの香りの演出です。

『ディオリッシモ』は淑女の香り

バラやジャスミンと並んで愛されてきたスズランの香りを忠実に再現。初々しくみずみずしい香りは、幸福感に満ちている。無垢《むく》な少女から成熟した女性まで似合う、不思議な香り。（パルファン・クリスチャン・ディオール）

貴婦人の香り『バラ・ベルサイユ』

天才調香師ジャン・デプレが20歳の時、ベルサイユ宮殿の大舞踏会をテーマに作り上げた香水の傑作。華麗で気品ある香りは、250種もの香りをブレンドしてできたもの。ヒロインになりたい時に、つけてみたい。（ジャン・デプレ）

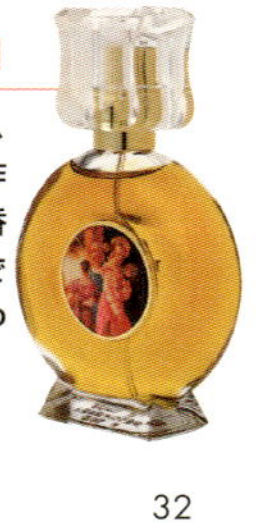

もちろん、役柄によってそのつど、香りを替えています。たとえば『愛の讃歌』でエディット・ピアフを演じる時、第一幕のピアフが貧しい時代を演じる時には、香水はつけません。第二幕、パリで贅沢な暮らしをする場面では『ジュルビアン』という香水を、そして女として円熟した場面を演じる第三幕では、『ディオリッシモ』を重ねづけします。心理状態や成熟度を、香水の力を借りてアピールしているのです。

あなたもぜひ、香りを味方につけてください。

香りを使いこなすテクニックは、一朝一夕《いっちょういっせき》で身につくものではありません。ですが日本は本来、香りに敏感な国でした。女は十二単《じゅうにひとえ》に香をたきしめ、手紙にも香を添え、気持ちを伝えていたのです。そのＤＮＡは若いあなたたちの中にも確実に息づいているはずです。

日常的に香りを使い、香りと仲よくなって、香りのない、無味乾燥な殺伐とした人生を、香《かぐわ》しい想い出でいっぱいの人生に変えましょう。香りは、人生というドラマの想い出づくりを援護射撃してくれる心強い味方です。

香水はあなたの人生をドラマティックに変えてくれる、魔法の水なのです。

“女性そのもの”の香り『シャネルN°5』

ココ・シャネルが“女性そのものを感じさせる独創的な香りを”と作らせた香り。マリリン・モンローが愛した香りとして知られている。時代を超えて今も幅広い女性から支持されているのは、香りの完成度が高いから。（シャネル）

お城のつくり方

おしゃれの心得

汚い部屋に住んでいる人は、汚くなります。
美しい部屋に住んでいる人は、美しくなります。
つまり、いる場所によって体の色が変わってしまう
カメレオンのように、人間もまた保護色の生き物
であるということを忘れないでください。
インテリアとは、あなたが思っている以上に
あなたに大きな影響を及ぼす重要な要素なのです。

20歳の頃の、私のお城

「古いアパートの6畳ひと間に住んでいた私は、生地やリボン、ペンキや造花などを買ってきては、自分であれこれと飾りつけました。そうやってつくり上げた私の部屋は、ボーイフレンドもなかなか帰りたがらない、素敵なお城になったのです」

20歳の頃、6畳ひと間のアパートに住んでいました

私は20歳の頃、東京・渋谷区の代々木上原にある、緑水荘という6畳ひと間のアパートに住んでいました。古い大きなアパートの2階で、家賃はたしか、3000円だったと思います。もともとは畳敷きに小さな押入れがついているだけの殺風景な部屋でしたが、イラストのようにあれこれとアレンジして、私だけのお城をつくり、住んでいたのです。

インテリアを勉強したことはありませんが、生まれ育った家がカフェーでしたから、戦前のアールデコ様式[※]のセンスが頭の中にしみついていたのでしょう。もちろん新しい家具や調度品などを買うお金はありませんから、下北沢の古道具屋さんから、マイセン風の電気スタンドをただみたいな安い値段で買ってきたり、渋谷の生地屋さんで手に入れたジョーゼットやビロードを部屋中の壁や家具に張りめぐらせたりして、私なりの部屋をつくったのです。

部屋のテーマカラーは、ピンクと黒にしました。あの頃すでに中原淳一《なかはらじゅんいち》さんとおつきあいがあり、モデルの仕事を頼まれることもありましたので、色選びに関しては、ストライプ好きな中原さんの影響も大きかったのかもしれません。

※アールデコ様式
アールデコとは1920年代、ヨーロッパを中心に発展した、『装飾的美術(アールデコラティブ)』の略称。直線と曲線を組み合わせたシャープなデザイン、モノトーンと原色のコントラストが特徴の、現代的な美しさを目指した

ピンクと黒の組み合わせはシックでロマンティックで、粋《いき》なパリ風の配色だと思ったのです。

当時の私のボーイフレンドたちは、この部屋に一度足を踏み入れると、なかなか帰ろうとはしませんでした。

「お忙しいのでしょう？　お帰りになれば？　どうぞご遠慮なく」

そう言っても、

「この部屋にいると心が安らぐんだ。外の世界を忘れてしまうほど、ここは素晴らしい別世界なんだよ。もう少しいさせてくれないか」

と、ずうっとい続け、困ってしまうこともありました。

人間はカメレオンのような生き物です

これだけは覚えておいていただきたいのですが、汚い部屋に住んでいる人は、汚くなります。どんなに高価なブランド品を着ていても、その女性が住む部屋が散らかっていたら、その女性はどことなくだらしない印象をぬぐえません。どんなに質素な装いをしていても、趣味のよい素敵な部屋に住む人は、優雅でチャーミングに見えるのです。いる場所によって体の色が変わってしまうカメレオンのように、人間もまた、保護色の生き物なのです。日頃住み慣れた場所の空気や雰囲気はあなたの細胞にしみつき、オーラのように発散されて、隠しようがありません。つまりインテリアは、あなたが思っている以上にあなた自身に大きな影響を及ぼす、重要な要素なのです。

美しく、おしゃれな部屋に住んでください。無理に引っ越したり、お金をかける必要はありません。今住んでいるあなたの部屋を、知恵と工夫でつくり替えてしまえばよいのです。

あなたの好きな色を使い、あなたの好きなもので部屋を埋め尽くしましょう。その部屋にいると、どこを見ても美しく可愛いので、楽しい、優しい気分になる、ロマンティックな想像に浸ることができる、そんなお城をつくってしまえばよいのです。

その代わり、手間暇を惜しんではいけません。面倒臭い、やり方がわからないと逃げている人は、美しい部屋に住む資格はないのです。まずは生地屋、手芸品屋、雑貨屋さんに足を運んでごらんなさい。

カーテンやベッドカバーを作り替えるだけで、部屋の雰囲気は一変します。さらにそういう店では、インテリアに使えるものがいくらでも見つかるはずです。あれを使ってドアを飾ろうか、それともこれをアレンジしてあの壁を……などなど、見ているだけでさまざまな工夫やアイデアが頭の中にわいてくるはずです。

海外のインテリア雑誌なども、いろいろと参考になるはずです。日本のインテリア雑誌は、特に近年は、収納テクニックに走ってばかりで、あまり役に立ちません。そういう雑誌では機能性ばかりを優先し、花やリボンやレースなどを、ムダなものとして切り捨てていますが、そういう一見ムダなものこそが、ロマンティックな空気や優しい気配を生むのです。

さらに、部屋に流れる音楽、壁に飾っている絵画や写真、そこここに置かれている本や画集から発散される教養や知性もまた、その部屋の空気を大きく変えてしまう大切な要素。

そういう〝目に見えないインテリア〟にも心を配って、あなたのお部屋を素敵な空間に仕上げてください。

電灯 *light*

おそらく大正時代のものと思われる、朝顔型の電灯を使っていました。端からブルー、ピンクの縞《しま》が入った乳白色のかさがついていました。青紫の電球をつけたら部屋中が紫の光りに包まれ、きれいでした

～お部屋間取り図～

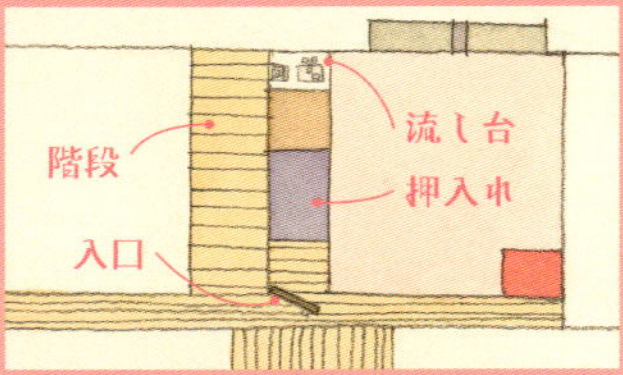

東京の渋谷区代々木上原にあった、老夫婦が経営する木造のアパート。階段を上ってすぐの左側。小さな台所つきで、ほかには学生や中国からの留学生などが住んでいた

カーテン *curtain*

生地屋のバーゲンでピンクの生地を買い込み、手縫いで縁をかがり、金環をつけて針金に通して、お手製のカーテンのでき上がりです。タッセルは黒の幅広リボンで代用。淡いグレイが混ざり込んだ、淡く上品なピンクでした

置き物 *ornament*

お金持ちの友達からもらった陶器の人形たち。これは高価なものだったのかもしれません。白地にブルーのアクセントが入ったピエロ人形など、自分が本当に好きなものだけを、大事に飾っていました

タンス *wardrobe*

ごく普通のタンスでしたがピンクのペンキで塗ってしまいました。失敗をして、ムラになったので黒の紗の生地をドレープにして貼りつけ、ピンクの布で作った花を飾ってカモフラージュ。昼はともかく夜は素敵に見えました

ランプシェード *lamp shade*

下北沢の古道具屋さんで手に入れた電気スタンドです。ピンクの薄いジョーゼットを重ねてかさに縫いつけ、下にリリアンをつけました。ピンクの造花や黒いリボンもあしらった自信作でもありました

6畳ひと間のお城

出窓 *bay window*

大きな出窓があったので、そこに黒いビロードを敷き詰めました。さらに、真ん中の柱にも同じビロードを巻きつけて飾り棚にしていました。ほこりが目立つので、毎日掃除を欠かしませんでした

電蓄《でんちく》 *electric gramophone*

ごくありきたりの電蓄（レコードプレーヤー）でしたが、ペンキで丁寧にピンクと黒のストライプに塗り上げました。見た人はみんな、びっくりしていました。世界でただひとつのストライププレーヤーと、自慢でした

押入れ *closet*

純和風の部屋ですから普通のふすまの扉がついていたのですが、黒白の市松模様の布を鋲《びょう》で貼りつけ、さらに黒いベルベットのリボンで縁取りしたハリウッド女優のブロマイドや造花を飾りつけました

手鏡 *hand mirror*

当時日比谷にあったドラッグストア、『アメリカン・ファーマシー』で買った金色の手鏡とヘアブラシ。大のお気に入りで、これもインテリアの一部として活躍しました。金色のトレイにのせて、いつもは出窓の上に並べていました

床 *floor*

絨毯《じゅうたん》を買うお金はないので、大きなボール紙にカーテンと同じ生地を貼り、それを畳の上に敷き詰めて、畳用の長い鋲で固定しました。すぐにずれたりはがれたりして、本当に苦労しました

今、アールデコを再び

おしゃれの心得

戦前の日本には、今見ても素晴らしいデザインが
暮らしの中で生きていました。
コーヒーカップも灰皿も、街で目にするポスターや
看板のデザインも、店の建築様式もインテリアも、
あらゆるものが、ロマンティックで
センチメンタルで叙情的。
しかもほのぼのとしていてどこかユーモラス。
これが生活に潤いを与えてくれた
「アールデコ」の美意識なのです。

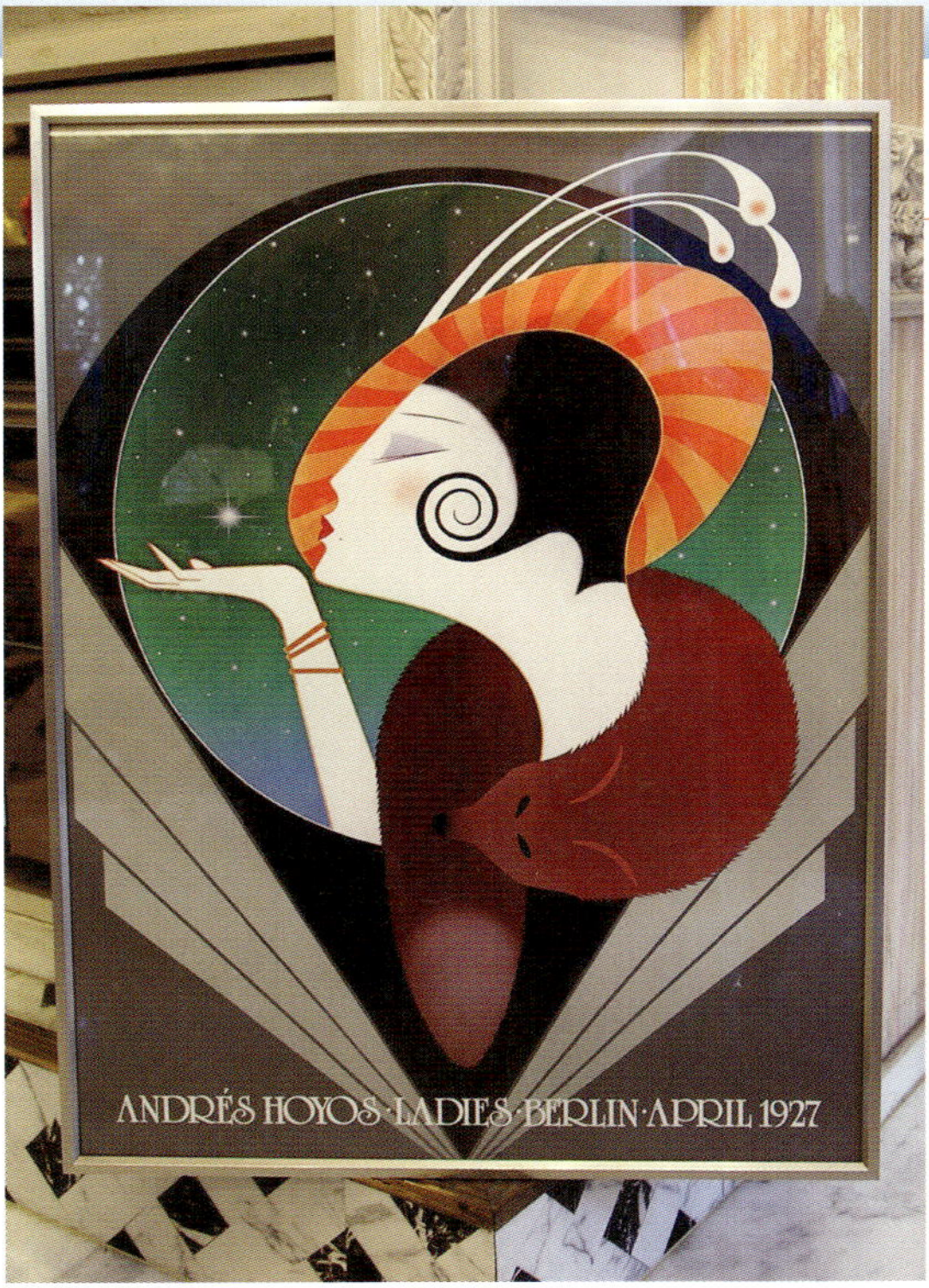

ポスター

「色彩が豊かで斬新で、アートとして素晴らしいだけでなく、やわらかくのんびりした雰囲気が気に入っています。いつもは、階段の踊り場の壁に飾ってあります」

花瓶

幾何学的な模様、エッジのきいた取っ手、部分的なつや消し加工と、いかにもアールデコらしい特徴を備えた大ぶりの花瓶。どこかユーモラスな風情もまた、アールデコの魅力

時計

置き時計にはアールデコの傑作が多いとか。淡いパステルの色調、丸を重ねたユーモラスなシェイプ、ソフトな質感と、アールデコの逸品。飾り棚の片隅で存在感を発揮している

人形

ピアノの上に飾られているアールデコ時代の最先端ファッションを着た人形。「ショートヘアに派手な髪飾り、シンプルなシルエットのドレスで孔雀《くじゃく》と遊ぶ、100年前の"モダンガール"です」

グラス

手作りの切り子のグラス。ところどころゆがんでいたりでこぼこだったり。「そういう手作り感覚が、ほのぼのとユーモアを感じさせてくれて、使っていても楽しいのです」

私の美意識の源流には、アールデコがあります。アールヌーボーの残《のこ》り香《が》があります。私が生まれ育った昭和初期は、暮らしを取り巻くありとあらゆるものが美しく、ロマンティックな時代でした。１８９０年代から１９１０年代にかけて発達したアールヌーボー、１９２０年代から１９３０年代にかけて発展したアールデコを経て、美術、音楽、文学、映画演劇、ファッションなどなど、世界中が美しいモノで満ちあふれ、活気に満ちた時代だったのです。

　しかも私の故郷・長崎は、日本の中でもとりわけ海外からの影響が早く、大きな都市でした。江戸の昔から上海経由で、世界の最先端の美意識が、さまざまな商品とともに流れ込んでいたのです。

　たとえば置き時計ひとつにしても、コーヒーカップも灰皿も、なんとも愛らしい形をしていました。街のあちらこちらで目にするポスターや看板のデザインも、店の建築様式もインテリアも、まろやかな曲線を生かし、洗練されたものでした。ロマンティックでセンチメンタルで叙情的。しかもどこかユーモラスでほのぼのとしているのです。人の心も同じように、おしゃれでユーモアがありました。今よりも数段優れた美意識と優しさが、人々の心に息づいていたように思えます。

美輪邸のアールデコたち

美輪邸客間には、アールデコの美意識で厳選された家具が。そしてピアノの上やティーテーブルの上、そこかしこに、小粋《こいき》な小物が飾られている（前ページ）。ひとつひとつが美しく、どこかユーモラスな愛らしさにあふれている

そして今、殺伐としたこんな時代だからこそ、アールデコの美意識が必要とされていると思うのです。

美意識の革命は、日本から始まりました

この、アールヌーボー（新しい芸術）という、世界的規模で起こった美意識の革命が、日本美術をきっかけに始まったことを、ご存じでしょうか？

19世紀末、欧米の列強各国が、日本に開国を求めて押し寄せました。日本はやむなく開国し、欧米の人々はその時初めて日本の美術品、工芸品の数々を目にして、その素晴らしさに息をのんだのです。

早速、安藤広重《あんどうひろしげ》や葛飾北斎《かつしかほくさい》などの描いた浮世絵がヨーロッパに紹介され、一大センセーションを巻き起こしました。大胆な構図、草花など自然を題材に描いた曲線の美しさや絶妙な色彩感覚が、絶賛されたのです。また※川上音二郎《かわかみおとじろう》とその妻、芸者のマダム貞奴《さだやっこ》が舞踊と歌舞伎もどきの芝居を持って欧米ツアーを敢行し、日本への関心はさらに高まりました。

1900年にパリで開催された万国博覧会では日本の出品作品が関心を集め、その文化的水準の高さが知れ渡りました。以前から関心を集めていた※ジャポニ

川上音二郎※
福岡県出身。政治運動家から時局を風刺する漫談家に転向。『オッペケペー節』で評判を呼んだ。また妻の貞奴とともに欧米で公演し、大評判となった

ジャポニズム※
1867年のパリ万博には明治維新を迎えたばかりの日本が参加し、陶器、漆器、金細工、浮世絵など伝統技術を生かした工芸品や美術品を多数出品。レベルの高い技術とその独得の美意識に世界中が驚き、賞賛し、たちまち日本趣味（ジャポニズム）が巻き起こった

ズム（日本趣味）はここで定着し、絵画や彫刻、ポスターなどさまざまなジャンルに波及して、アールヌーボーと呼ばれるスタイルにまで昇華していったのです。

そのアールヌーボーがさらに進化したのがアールデコラティブ（装飾的な芸術）、略してアールデコです。「くねくねとした曲線」が特徴だったアールヌーボーへの反動で、アールデコは抽象的、幾何学的に円や直線を組み合わせた、斬新なデザインが特徴です。それまでの過剰な装飾をそぎ落としながら必要な装飾は残す、洗練の極みのような美意識なのです。

アールデコの粋《すい》、旧朝香宮《あさかのみや》邸

今、日本でアールデコの作品を見たいのでしたら、東京都庭園美術館にある旧朝香宮邸が最適です。朝香宮夫妻はアールデコがまさしく最盛期を迎えた時代にヨーロッパに長期滞在し、アールデコに心酔なさったようです。帰国後、わざわざ建築家や内装専門の職人たちをパリから招いて、アールデコの粋を極めた、芸術品のような邸を建てさせたのです。今では美術展会場として使われているので、建物自体も一緒に鑑賞することができます。箱根の富士屋ホテル、

日本のアールデコ調ポスター

昭和5年、銀座三越オープンを知らせるポスター。三越意匠部に籍をおいていた画家・杉浦非水《すぎうらひすい》の作品。杉浦非水は日本においてアールデコの美意識を積極的に表現したことで知られている。銀座を歩くモダンガールの姿も興味深い

奈良ホテルなどもこの時代に造られたもので、一見の価値があります。
　東京・銀座にある資生堂の『HOUSE OF SHISEIDO』にも、会社創世当時からの化粧瓶やポスター、店舗デザインなど、日本を代表するアールデコの素晴らしいデザインを見ることができます。また日本橋の三越や新宿の伊勢丹など、古くからの建物には一部アールデコの様式を見ることもできます。

　画家でいえば、ピカソやクリムト、そしてタマラ・ド・レンピッカが代表的な存在でしょうか。キュビスムもこの時代の産物です。凝ったレタリングや大胆な画風のポスターも、数多く残されています。

　この時代は、ハリウッドの超大作『イントレランス』をはじめ、映画芸術も花盛り。ファッションではシャネルが型にとらわれない自由な女のファッションを提供しはじめ、ランバンやバレンシアガが粋な女の装いを極めました。

　音楽でいえば、ジャズです。パリのショービズで一躍人気者になったアメリカ出身のダンサー、ジョセフィン・ベイカーもまた、アールデコという時代が生んだ、たぐい稀《まれ》なアーティストといえるでしょう。

「資生堂」のコスメもアールデコ

化粧品のパッケージデザインにもアールデコの影響がはっきりと見てとれる。左は資生堂が最初に作った化粧品、化粧水『オイデルミン』の瓶（1935年）。右は斬新なイラストが女性たちの人気の的となったモダンカラー粉白粉《おしろい》（1932年）

おしゃれコラム 2 ～アールデコを体感する～

かつて日本人の生活の中に息づき、時代をロマンティックに彩っていたアールデコの美意識。
その洗練された美しさを、実際に体感できるスポットを紹介します。

究極のアールデコの館

東京都庭園美術館

日本のアールデコ建築の代表といえば1933年(昭和8年)に建てられた朝香宮鳩彦王《あさかのみややすひこおう》の邸宅。朝香宮夫妻は1925年パリで国際博覧会を見て感銘を受け、帰国後、フランス人デザイナー、アンリ・ラパンを内装に起用。現在は東京都庭園美術館として活用され、企画展の展示物と共にアールデコ建築の粋《すい》を見学することができます。◆東京都港区白金台5の21の9　☎03・3443・0201

外観から内装の細部まで これぞアールデコの真髄

まずエントランスには、アールデコ様式を代表するガラス工芸家、ルネ・ラリック作の見事なレリーフ（左写真）！　さらに階段の踊り場から、大広間の天井、壁面、扉、照明に至るまで、すべてアールデコ様式。洗練されたこの美意識を実際に肌で感じ取ってください

所蔵：東京都庭園美術館　Image：東京都歴史文化財団イメージアーカイブTokyo Metropolitan Foundation for History and Culture Image Archives

生活の中のアールデコ

HOUSE OF SHISEIDO

アールヌーボー調の流線が美しい花椿マークが生まれたのが1915年（大正4年）。その当時から、常に斬新なデザインで多くの女性たちを魅了し続けてきた資生堂。その商品やパッケージ、またポスターなどの変遷を映像として一望できるのがここ。いかにアールデコの美意識が日本人の生活に根づいていたのかが、よくわかります。◆東京都中央区銀座7の5の5　☎03・3571・0401　休／月曜　入場無料

ギャラリーには特注のアールデコ調の椅子も。ほかにも、昔のテレビCMや、資生堂が収蔵する約2千点の美術品がディスプレイで閲覧することができます。懐かしさも相まって、本当に楽しいスペース

映像で時代を体感できる斬新なアーカイブ

一見すると、なんにもないテーブルですが、近づき、引出しを開けると……！　資生堂初の化粧品「オイデルミン」100年の変遷、文豪たちも愛した『資生堂パーラー』の歴史、ミュージカル仕立てで美容法を伝えた「ミス・シセイドウ」たちの功績などなど、ファッションやデザイン、またカルチャーの流れを映像で観ることができる、驚きのアーカイブです

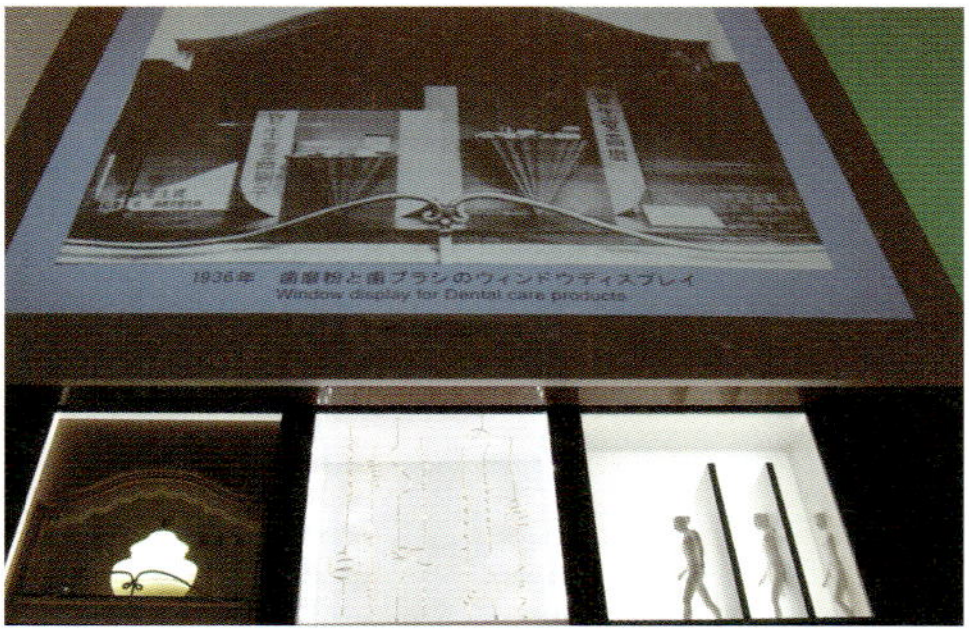

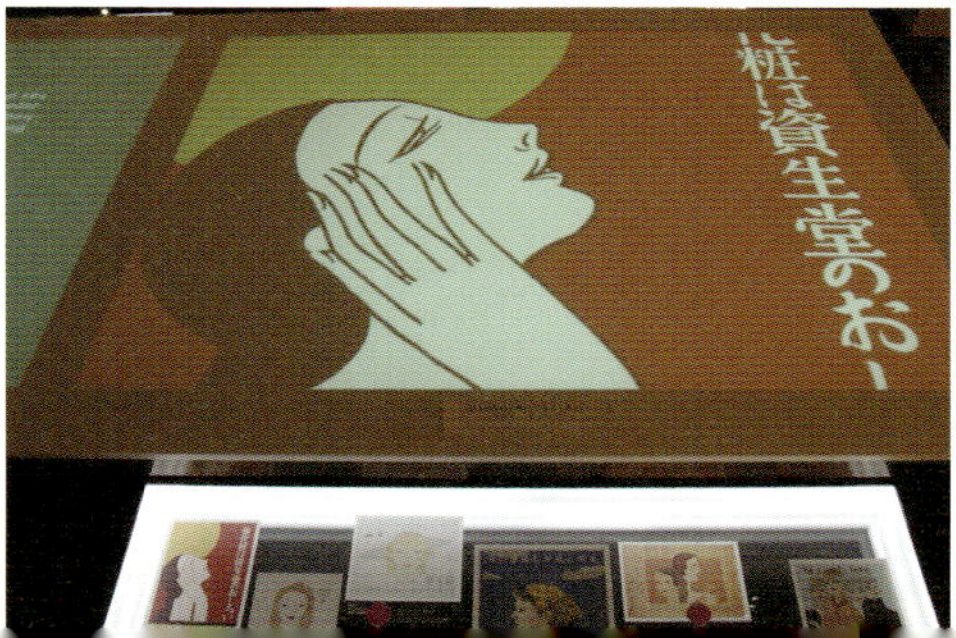

音楽のマジック

おしゃれの心得

音楽は、お金のかからない最高のインテリア。
どんな狭いアパートも、素敵な音楽を流せば、
情熱的で神秘的な空間に変えることができます。
つまり、音というのは、人の心さえ操ることのできる、
ものすごいパワーを持った波動であるということです。
ですから、日頃、美しいメロディを聴いている人は、
美しいオーラを身にまとい、美しくなれるのです。

あなたの恋愛パワーを増強するＣＤ

「私が選び抜いた愛の名曲を揃えて、一枚のCDを作ってみました（曲目リストは58ページに！）。これを聴き終わる頃、あなたの全身は神秘的でロマンティックな愛のパワーがみなぎり、美しいオーラが発散されるはずです。ちなみに、このCDは発売されておりません。あしからず」

たとえばあなたが大好きな彼とふたりきりで、あなたの部屋にいるとします。そこは狭くて汚いアパートで、一緒に飲むのは、安いお酒かもしれません。でもそこに、素敵な音楽を流してごらんなさい。ショパンのピアノ曲、シャンソンの名曲、オペラのアリアも、いいかもしれません。ロマンティックで情熱的で神秘的な調べを……。すると、ふたりの間の空気は一変します。秘密の隠れ家で極上のワインを飲んでいる、そんな気分になれるはずです。

つまり、音楽は、いちばんお金のかからない最高のインテリアなのです。

人の心を操る、音の不思議な力

人間の体は、70％が水でできています。その水に音波を与えると、刺激を受けて水は揺らぎます。その音波が悪い波動だったら、どうでしょう？　人間の体には悪い影響が出てしまいます。目には見えないので気がつきませんが、実は音には人間の精神状態をも左右する、すごいパワーがあるのです。

第二次世界大戦中、ナチスがアウシュビッツ収容所で、極悪非道の人体実験をユダヤ人に課したことがありました。強制的に超高音を3日間ほど聞かせ続けたのです。その結果、ほとんどの人間が正気を失ってしまったそうです。

また、オウム真理教が信者に絶対服従をさせるため、音を活用したという報道もありました。3日間睡眠も食事もとらせずに、低音で単調に続くマントラを聞かせ続け、マインドコントロールしたというのです。

『七年目の浮気』※という映画で、マリリン・モンロー扮する女性を誘惑するために、中年男がラフマニノフの『ピアノ協奏曲　第二番』をかける場面も印象的でした。実は男の勝手な妄想であったというオチはあるのですが、マリリンはその曲を聴くたびにうっとりして、自制心を失ってしまうのです。

音というものはこんなふうに、人の心をどうにでも操ることのできる、不思議なもの。だからこそ、日々の暮らしの中から不快な音はなるべく排除してください。快く美しい、叙情的でロマンティックな音だけを厳選して、生活に取り入れるべきなのです。

変化する音が、人を恍惚《こうこつ》とさせるのです

私の家は長崎でカフェーを営業しておりましたので、店内には常に心地よい音楽が流れていました。また家の向かい側はレコード屋さんで、朝から晩までさまざまな音楽が途切れることなく聞こえてきました。クラシック、ジャズ、

※『七年目の浮気』

出版社に勤める中年男がマリリン・モンローそっくりの美女と浮気しようとたくらむラブコメディ。ヒロインを演じたマリリン・モンローが、風でまくれ上がるスカートを押さえる名シーンで有名。ビリー・ワイルダー監督作品。（1955年）
AS/ORION PRESS

タンゴ、シャンソン、ポップスに浪花節などなど……。おかげで洋の東西を問わず、あらゆるジャンルの音楽に親しみ、いいものを聞き分ける耳が育ったようです。

また私が生まれ育った昭和初期は、世界的にもありとあらゆる音楽がいっせいに大きく花開いた時代でした。演奏家も歌い手もあの時代、本当の意味での〝音楽のプロ〟たちが活躍していたのです。だからこそ、今に至るまで名作とされる名演奏の数々が、残っているのです。

そういう名曲、名演奏は、まるでタイムマシンのように私たちを美しい時代に連れていってくれます。つらい現実を忘れさせ、明日への活力を与えてくれるのです。

当時を知らない若い人たちにおすすめするとしたら、どんな曲がいいでしょう。

ビッグバンドが奏でる、ゴージャスで甘いメロディ。サロンオーケストラが小粋《こいき》に聴かせる、※コンチネンタルタンゴ。リシュエンヌ・ボワイエが歌うシャンソンやドリス・デイ、サラ・ボーンの歌うジャズの名曲。ポルトガルの歌、※ファドはせつせつと胸に迫ります。そしてフジ子・ヘミングの、まるで魔法のよ

※コンチネンタルタンゴ
19世紀にアルゼンチンのブエノスアイレスで生まれた〝アルゼンチンタンゴ〟が、1920年以降ヨーロッパに渡り、ビッグバンドの演奏によって〝コンチネンタルタンゴ〟に生まれ変わった。もともとセクシーなダンス音楽であったものが洗練され、派手で華麗な音楽として愛されるようになった

うなピアノ演奏。さらにエディット・ピアフが歌う『愛の讃歌』などなど……。

これらの曲を聴いていると、人をうっとりとさせる音楽の大切な要素が、ありありと見えてきます。

それは、強弱があること、です。

大きな音と小さな音、高い音と低い音、強い音と弱い音、そしてゆったりとしたテンポから細かく刻むテンポまで、微妙に、ダイナミックに変化していくリズム。クレッシェンドやデクレッシェンドを活用し、ピアニッシモでかすかな音を重ねていき、クライマックスでフォルティッシモの記号が3つつくくらい、強調していく。そしてまたピアニッシモ……、という具合に、音の大中小が交互に訪れ、うねるように揺さぶるように音が重なっていく、そんな変化に満ちた音楽こそが、聴く人の心をうっとりと恍惚の境地に導いてくれるのです。

変化のない音の羅列は、音楽ではなく、ただのノイズにすぎません。そして残念ながらエルヴィス・プレスリー以降の音楽は、フォークソングを除いたすべてが、ノイズのような代物《しろもの》なのです。

今の音楽、たとえばロックやラップ、ヒップホップは、すべての音がフォルティッシモです。強、強、強、強と単調な大きな音だけが延々と続きます。こ

※**ファド**

ポルトガルのリスボンで生まれた伝統的な民族歌謡。イスラムやアフリカなど多数のエリアの音楽的特徴を内包するといわれる。カフェーや酒場で歌い継がれ、独得の哀愁を持つ

れではただっ子がブリキの太鼓を叩いているのと同じ。やかましいだけで、音楽とは呼べません。

嘘だと思うなら、一杯のコーヒーを飲み比べてごらんなさい。ジャズの名曲を聴きながら味わうコーヒーと、大音響のデスメタルロックを聴きながら流し込むコーヒーの、どちらがおいしいか。あなたの体が、正直に教えてくれるはずです。

ＩＱ値を上げ、オーラを輝かせる音楽

音楽の効用は、その妙なる響きにうっとりとすることだけではありません。いい音楽は脳にいい刺激を与え、日常的に聴き続けることによってＩＱが上がるという研究結果があるそうです。調べた結果、最もＩＱが上がったのは、モーツァルトだったとか。

なるほど、モーツァルトの楽曲はほかのクラシックの作曲家に比べると驚くほど強弱や高低の差が大きく、まさに変化の音楽です。変化こそが、人の心に作用するという私の持論は、やはり正しいようです。

それだけではありません。日々の音楽はまるで栄養剤のように、あなたの中

にしみ込みます。

常に美しい音楽を聴き、美しい雰囲気の中で生活していると、ごくごく普通の女性なのに、どこか違う特別な魅力が備わってくるのです。日頃聴いているメロディが見えない膜となり、まるでオーラのようにあなたを包み込んでくれます。そしてもちろん、体の調子もよくなり、肌はしっとり潤い、精神状態も安定し、運気も上向いてくるはずです。

逆に、毎日毎日禍々《まがまが》しい、騒々《そうぞう》しい雑音のような音楽の中で生きていると、本当に恐ろしいくらい、変わります。若者たちがキレやすくなったり、言葉や行動が荒々しくなるのは、長時間ロックやヘビーメタルを聴き続けているせいではないかと、私は考えています。

容姿も状態も運勢も、日々耳にする音楽次第です。音楽のパワーを信じ、音楽を味方につけて、人生を楽しんでください。

おしゃれコラム 3

～ロマンあふれる名曲～

こんなコンピレーションアルバムがほしかった！

美輪明宏セレクション『FOR YOUR LOVE STORY』

これは美輪明宏プロデュースによる、名曲を集めて作った架空のコンピレーションアルバムです。
ロマンティックな時間を必ずお約束します。

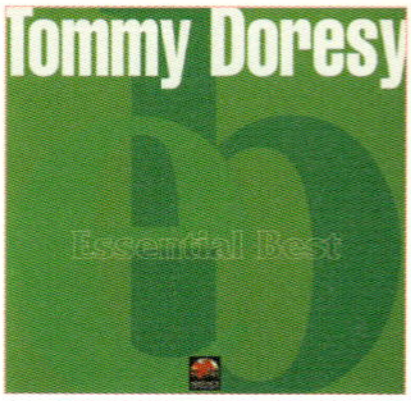

- Selection 1

アイ・ドリーム・オブ・ユー　I dream of you

～トミー・ドーシー　Tommy Doresy～

1930年代半ばから50年代にかけて愛された、センチメンタルなスイングジャズサウンド。なかでもこの『アイ・ドリーム・オブ・ユー』はタイトルどおり、夢見るようにロマンティックな心地よいメロディ。（キングレコード）

- Selection 2

センチメンタル・ジャーニー　Sentimental journey

～ドリス・デイ　Doris Day～

抜群の歌唱力と魅力的な声で50年代、60年代と長い間、アメリカのショウビズ界に女性トップヴォーカリストとして君臨したドリス・デイ。小粋でちょっとアンニュイなこの曲は、彼女の出世作。（ソニーミュージックエンタテインメント）

- Selection 3

碧空　Ciel Blue

～バルナバス・フォン・ゲッツィ　Barnabas von Géczy～

50年代、ヨーロッパでサロンオーケストラが演奏し、一大ブームとなったコンチネンタルタンゴ。その代表曲『碧空』の典雅な調べを、叙情的なフォン・ゲッツィのバイオリンで思う存分、味わってください。（輸入盤）

- Selection 4

コンフェッソ［告白］　Confesso

～アマリア・ロドリゲス　Amália Rodrigues～

情念をこめてせつせつと歌うポルトガルの民族歌謡『ファド』は、酒場から生まれた音楽。アマリア・ロドリゲスはそのファドの、代表的歌手。独得の深い声で、愛のつらさや人生のほろ苦さを歌い上げています。（輸入盤）

- Selection 5

ソー・メニー・スターズ　So many Stars

～サラ・ボーン　Sarah Vaughan～

“ジャズヴォーカルの女王”と呼ばれたサラ・ボーンが歌うロマンティックなメロディ。多くの女性アーティストが歌っている名曲ですが、これが決定版。彼と部屋で過ごす時のBGMにぴったり！（ソニーミュージックエンタテインメント）

- Selection 6

月の光（『ベルガマスク組曲』より）　Clair de lune

～フジ子・ヘミング　Fujiko Hemming～

フジ子・ヘミングのピアノ演奏は部屋の空気を一変してしまう、魔法のような音楽。繊細にして情熱的、ときに退廃的なその調べが流れるとアールデコ時代にタイムスリップしたような優雅な気分になれます。（ビクターエンタテインメント）

- Selection 7

聞かせてよ愛の言葉を　Parlez-moi Dàmour

～リシュエンヌ・ボワイエ　Lucienne Boyer～

アメリカでは“官能的”と絶賛されたシャンソン歌手、リシュエンヌ・ボワイエ。その歌はときに少女のように無垢《むく》な印象も。甘く潤いのある美声で愛の歌を数多くヒットさせせました。この曲はそんな彼女の代表曲です。（輸入盤）

- Selection 8

グッドバイ　Goodbye

～ベニー・グッドマン　Benny Goodman～

30年代のスイングジャズブームに火をつけ、絶大の人気を誇った、クラリネット奏者にしてビッグバンドマスターのベニー・グッドマン。官能的かつクールなクラリネットの音色が、酔わせてくれます。（BMGファンハウス）

- Selection 9

ピアノ協奏曲　第二番　ハ短調　第二楽章　Piano Concert no.2 in C miner

～ラフマニノフ　Rachmaninoff～

ロシアの貴族、ラフマニノフがパリに亡命してから書いた、クラシックの最高傑作。憂愁に満ちた第一楽章、優美な第二楽章を聴き終える頃には、あなたはすっかりエレガントな女になっているはず。（BMGファンハウス）

- Selection 10

愛の讃歌　Hymne à làmour

～エディット・ピアフ　Edith Piaf～

20世紀最高の歌手、エディット・ピアフ。この曲は最愛の恋人マルセル・セルダンとの交際中に作ったもの。やがて彼が飛行機事故で急死した後、彼女はこの愛の曲を心をこめて歌い続け、不滅の愛の歌になりました。（東芝EMI）

※ここに掲載したCD（輸入盤など）の中には、入手困難なものもあります

たかが言葉、されど言葉

おしゃれの心得

美しい言葉を使うと、世界が変わります。
まず、あなた自身がいつの間にか礼儀正しく、
しとやかで遠慮深くて、毅然《きぜん》としていながら、
優雅な女性になっていきます。
そして人間関係もよくなります。
周囲の人たちの気分もよくなり、
優しくなります、笑顔が生まれます。

「きちんとした日本語」が家庭にあった

1950年代前半までは、親子でも「です・ます」調の「きちんとした日本語」で会話をしていた。小津安二郎《おづやすじろう》監督作品『東京物語』は老夫婦の話す朴訥《ぼくとつ》な岡山弁と原節子《はらせつこ》の美しい発音の東京言葉が優しく絡《から》みあって物語が展開する

原節子《はらせつこ》さんのような日本語をお話しなさい

若い人たちの言葉遣いの悪さが、最近とても気になります。

最悪なのは、「マジェ?・」。「マジ?・」に小さな「ェ」がつくのです。電話をかける時も「もしもし」と言う代わりに「もしぇもしぇ」と言ったり、「〜でーす」と無意味に語尾を伸ばしたり。「やはり」と言うべきところを端折《はしょ》って、「やっぱ」と言う方も、いらっしゃいますね。

口を半開きにしたまま発音しているから、そうなるのでしょうか。顔の筋肉がゆるんでいるついでに脳みそや尿道までもゆるんでいるのではないかと、他人事ながら心配になってしまいます。阿呆《あほう》で間抜けでみじめな女に見せたくてやっているのなら大成功ですが、決して、知的でエレガンスあふれる女性には、見えません。

そういう言葉の乱れは、服装の乱れと大いに関係があるのではないかと、私は思っています。清潔できちんとした服装をしていれば、「マジェ?」なんて言葉は似合いませんし、使いたくもありません。だらしないヤンキースタイルや下品な娼婦風ファッションだからこそ、乱れた言葉や崩れた言い回しがしたくなるし、また似合ってしまうのです。

ここで私は声を大にして申し上げます。ひとりの女性として幸せになりたかったら、美しい言葉をお使いなさい。どんなに素敵なブランドもののお洋服を着ていても、言葉遣いが汚いと、まるで借り着のようで似合いません。リッチな宝石をつけていても、おバカな話し方をしていては、盗んできたと思われるのがオチです。

言葉遊びから始めましょう

昭和30年代までの日本映画には、原節子さん、高峰《たかみね》三枝子《みえこ》さん、入江《いりえ》たか子《こ》さん、久我美子《くがよしこ》さん、木暮実千代《こぐれみちよ》さんなどなど、容姿の美しさだけではなく、美しい言葉を使いこなすヒロインが何人も登場します。彼女たちの言葉遣いには、戦前の日本で使われていた日常会話の品位や奥ゆかしさが残っています。その言葉を参考にするだけでも、あなたのボキャブラリーはずいぶん変わってくると思います。

言葉の終わりは、必ず「〜です」、「〜ます」で締めくくります。親しい間柄なら「〜ですのよ」とか「〜ですわ」など、さまざまなバリエーションがあります。省略語はなるべく使わないこと。どんな状況でも、ゆっくりと丁寧に、笑顔で発音します。尊敬語や謙譲語、「ごきげんよう」や「〜あそばせ」など決まり文句もできることならマスターしたいものです。

初めはきっと気恥ずかしく感じるでしょうから、言葉遊び感覚で、家の中だけで、家族同士で使ってごらんなさい。デートの時、恋人に冗談半分で話しかけてみるのもよいでしょう。照れてしまったり、笑ってしまうかもしれません。でも何度か使っているうちに、その心地よさに気がつくはずです。

言葉遣いを美しくすると、不思議なことに、世界が変わります。嘘だと思うのなら、試してごらんなさい。

最初の変化は、あなた自身に起こります。いつの間にか礼儀正しく、しとやかで遠慮深くて毅然《きぜん》としていながら優雅な女性になっていきます。声や表情まで明るくなり、美人度がアップすること、間違いありません。

すると、人間関係もよくなります。あなたの周囲の人たちが、あなたの丁寧な言葉遣いによって気分がよくなり、優しくなるのです。会社でも家庭でもデートの時にも、笑顔が生まれます。

たかが言葉、されど言葉、なのです。

鹿鳴館《ろくめいかん》が女言葉を生み出しました

女らしい言葉と言えば、こんな話をご存じでしょうか。

今でこそ日本の女性は、男性とは違う言葉を使っていますが、江戸時代まで男と女は、同じ言葉遣いをしていたのです。公家と武家、そして平民。平民の中でも商家に職人、農民と、階級や職業によって言葉遣いは歴然と違っていたのですが、同じ階層の中で男女が使う言葉は、同じでした。

たとえば下町に住む町人の女将《おかみ》さんは、

「そうだろう、おまえさん」

「いいじゃないか、そうしなよ」

「てやんでい、べらぼうめ！」

と、男性が使うのと同じ言葉を、当たり前のように口にしていました。

ところが明治維新によって「女言葉」が生まれ、広まったのです。

幕末から明治維新にかけての熾烈《しれつ》な勢力争いの中、最後に勝ち残ったのは、薩長の田舎侍たちでした。彼らは京都にいる間、京の色町の芸者出身の女性たちを妻にめとっており、中央の政界に進出する際は、その女性たちと一緒でした。今でいうなら京都のホステス出身の若妻たちが、いきなり政府高官の妻となって上京したようなものです。彼女たちの使う言葉はその仕事柄、極端につやめかしいものでした。

時はあたかも鹿鳴館※の時代。彼女たちには、ドレスを着て日本外交の最前線である鹿鳴館に集い、ダンスを踊り、社交界の華になるよう、日本政府からお達しがありました。彼女たちは見事にその役割を果たし、同時に、より優雅でコケティッシュな女言葉を次々とつくり出していきました。

その女らしい言葉遣いがとても魅力的だったので、あっという間に普通の女性たちの間にそれが広まり、それ以降、女言葉として定着するようになったのです。

当時の新聞はその変化を「日本語の乱れ」と指摘していますが、とんでもありません。これは言葉の進化でした。性差や文化、美意識や公家言葉までもどん欲に吸収し、彼女たちの言葉は洗練の極みにまで達したのです。

鹿鳴館に招待され、着慣れた着物を脱ぎ捨てて、初めて身につけたドレスのように、その言葉もまた、彼女たちの晴れがましい正装だったことでしょう。

海外からの賓客《ひんきゃく》や日本の大臣、軍人などなど、ＶＩＰやセレブが集まる鹿鳴館

※鹿鳴館
明治16年（1883年）東京・麹町に造られた2階建てのれんが造りの洋館で、西洋人に日本文化の高さをアピールするために造られた西洋社交クラブ。西洋人や日本の政治家、軍人、財界人とその妻などが、珍しかった西洋風の正装で集い、ダンスに明け暮れる風景は、文明開化の象徴だった

でヒロインとして、正々堂々と振る舞うためには、ぜひとも品格がありつつ女性としても魅力的な言葉を操る必要があったのです。やがてドレスを着慣れていくように、彼女たちもその言葉に見合う、一人前のレディに育っていったことと思います。

嘘つき言葉に、ご用心なさい

さて、使うべき言葉があれば、使うべきでない言葉もあります。本質的な意味をごまかしてしまうような、曖昧な嘘つき言葉は、使うべきではありません。日本のマスコミには、犯罪的行為に別な名称を与えるという言葉のトリックを使って、その本質をカモフラージュしてしまう悪癖があるのです。

たとえば、「万引き」です。店頭からほしいものを勝手に持っていってしまう、これは純然たる「窃盗罪」です。「泥棒」です。犯罪として糾弾《きゅうだん》するべきであり、そうでなければ社会は成り立ちません。ところが万引きと言い換えることで、ほんの出来心、イタズラにすぎないという言い逃れを助けています。

同様の言い換え、言い逃れはいくらでもあります。

「戦争」は、「大量殺戮《さつりく》」です。

「兵器」は、「凶器」です。
「イジメ」は、「脅迫」です。
「援助交際」は、「売春」です。
「セクハラ」は、「強姦未遂《ごうかんみすい》」です。

万引きが窃盗という犯罪であるということを知っていれば、面白半分にやってみようという青少年は減ります。イジメが人を脅迫し、ときには死に追いやってしまうこともある重大な犯罪であると知っていれば、安易に手を染める人間は減るでしょう。

言葉は両刃《りょうば》の剣《つるぎ》です。言葉の使い方ひとつで人間の印象は変わります。ですが同時に、言葉がごまかしてしまう真実もあるのです。

言葉に惑わされることなく、ものごとの本質をきちんと見極めることも忘れないでください。マスメディアが何を言っても、それが何を意味して何をごまかそうとしているのか、自分の目と耳できちんと判断できるように、自分自身を鍛えてください。

おしゃれコラム 4 ~美しい日本語会話例~

普段とは違った言い回しや言葉遣いは、たしかに初めは気恥ずかしく感じるかもしれません。

ですから、最初は身近な人と言葉遊び感覚で。少しずつあなたの生活の中に取り入れてみてください。

オフィスで

その資料、取ってよ。 ▷▷ その資料、取って**くださらない？**

「お手数ですけど」とつけ加えればさらによし。「ありがとうございます」も忘れずに

「きのうの月9、観た？」 ▷▷ 「きのうの月9、**ごらんになりまして？**」

尊敬語や丁寧語の後に「〜て？」をつけてソフトなニュアンスにする高等テクニック

やっべー！ ▷▷ **あら、困りましたわ。どういたしましょう。**

丁寧な言葉で困っていると周りが助けてくれるので、本当に“ヤバイ”状況が改善される秘密の呪文

うちの上司、うぜぇよ！ ▷▷ わたくしの上司は、本当に**煩《わずら》わしい方**ですわ。

“うざったい”は俗語。煩わしい、憎たらしい、うるさい、などと言い換えましょう

あの客、ムカつく！ ▷▷ あのお客様ったら、**うっとうしい方**ですこと。

“ムカつく”も耳ざわりな俗語。見苦しい、非常識な、不愉快な、などふさわしい言葉はたくさんあります

その話、マジ？ ▷▷ **ご冗談ばっかり。それ、本気でおっしゃっているの？**

会話は、省略すればするほど、早口に話せば話すほど、下品になるということをお忘れなく

オッケーで〜す。 ▷▷ **かしこまりました。**

語尾を伸ばすのはバカの証。「承知しました」などと答えるだけで有能な印象になります

ショッピングで

このスカート、いくら？ ▷▷ このスカート、**おいくら？**

“お”をつけるだけで、こんなに印象は変わります。「おいくらですの？」なら、さらによし

すみませ〜ん！ ▷▷ **恐れ入ります。**ちょっとよろしいかしら？

“恐れ入ります”はエクスキューズミー。オールマイティなので使いこなしたい言葉です

このセーター、ください。 ▷▷ このセーター、**いただくわ。**

何かしてもらう場合“いただく”が便利。「くださいな」と“な”をつけるだけでも可愛くなります

デートで

サラダ、食べる？ ▷▷ サラダ、**召し上がる？**

見る→“ごらんになる”、聞く→“お聞きになる”など、“お（ご）〜になる”も覚えたい敬語です

私のこと、好きって言いなよ（笑）。 ▷▷ わたくしのこと、好きと**おっしゃいな**（笑）。

もしくは「おっしゃいよ」、「おっしゃいましな」。“敬語＋ましな”はコケティッシュな必殺技です

じゃ、気をつけてね。 ▷▷ それでは、お気をつけ**あそばして。**

“ごめんあそばせ”でも。“〜あそばす”は必修エクササイズとして一日1回は口にしたいもの

おしゃれコラム 5 ～美しい日本語をつむいだ作家たち～

日本語は美しい言葉です。微妙な思いを表現する豊富な語彙があり、自然を愛《め》でる絶妙な言い回しがたくさんあります。素晴らしい書物から、その神髄《しんずい》を学び取ってください。

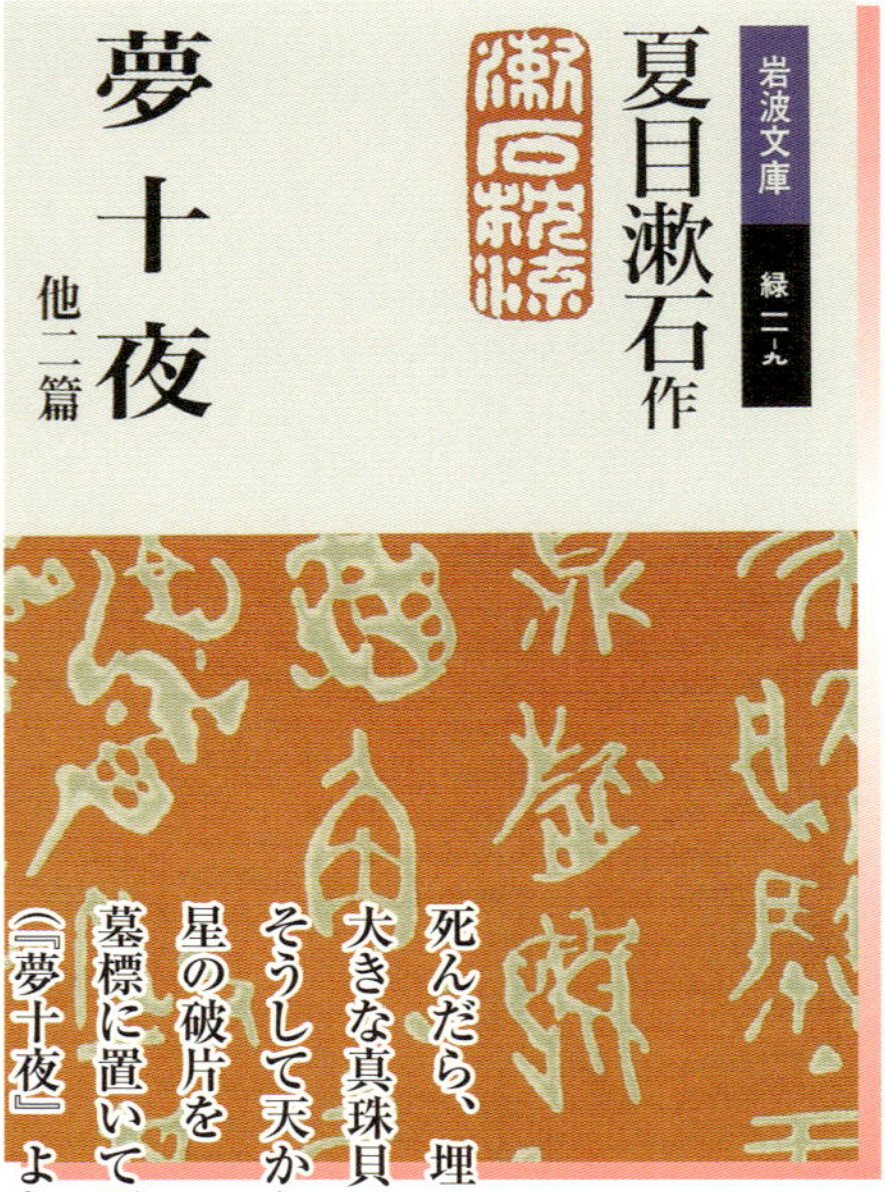

『夢十夜』岩波文庫

夏目漱石　なつめそうせき

『坊っちゃん』、『こころ』、『三四郎』など、今も多くの読者をひきつけてやまない、日本の国民的作家のひとり。処女作『吾輩は猫である』は文語体が主流だった中で初めて口語体で書かれた文学作品です。どの作品も読みやすい文章ながらその内容は深く、心に残ります

死んだら、埋めてください。
大きな真珠貝で穴を掘って。
そうして天から落ちて来る
星の破片を
墓標に置いて下さい。
（『夢十夜』より）

『近代能楽集』新潮文庫

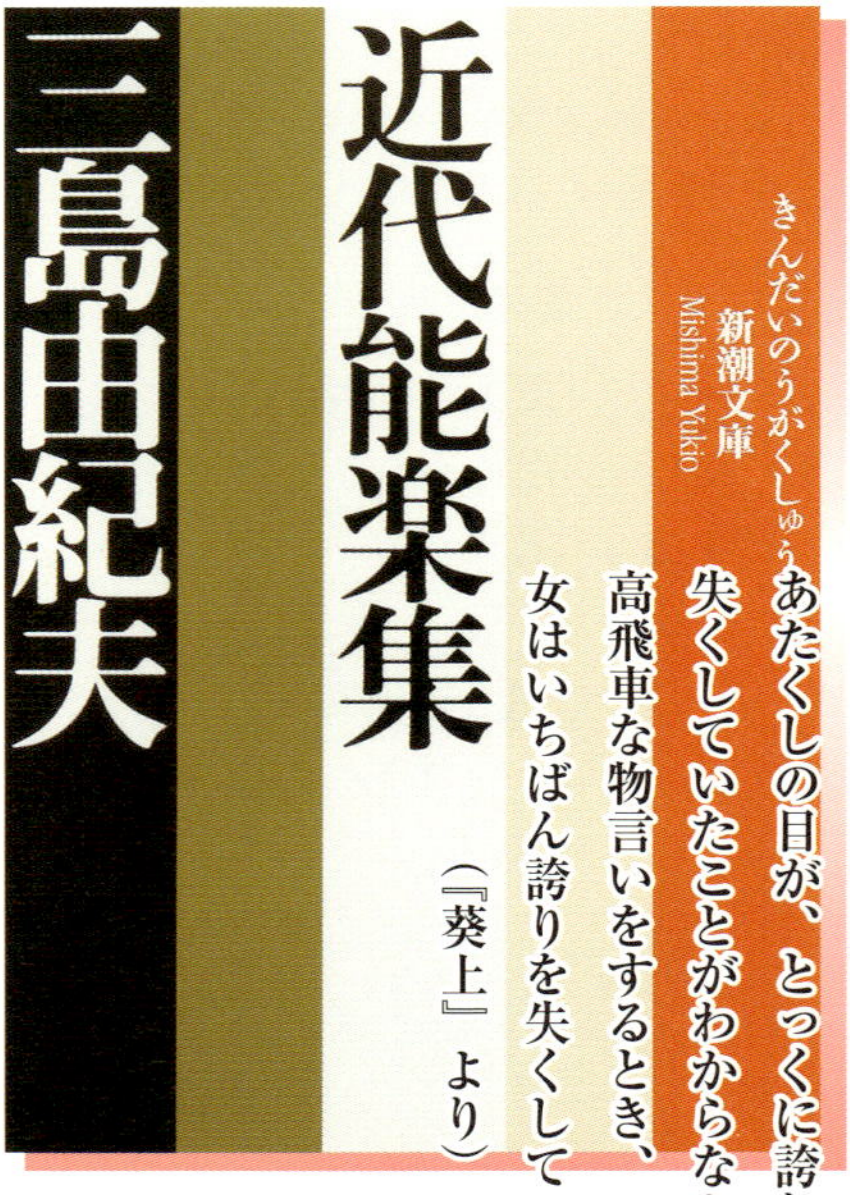

三島由紀夫　みしまゆきお

16歳の時に書いた『花ざかりの森』で文壇デビューした早熟な天才作家。頭脳明晰で論理性に富んだ作風ながら、作品の中では自分の内なる魔性や日本の伝統美への愛憎など論理を超えた美を追求しました。『仮面の告白』、『近代能楽集』、『金閣寺』、『豊饒の海』 など

あたくしの目が、とっくに誇りを
失くしていたことがわからなかったの？
高飛車な物言いをするとき、
女はいちばん誇りを失くしているんです。
（『葵上』より）

山椒大夫・高瀬舟
森　鷗外
新潮文庫

安寿恋しや、ほうやれほ。
厨子王恋しや、ほうやれほ。
鳥も生《しょう》あるものなれば、
疾《と》う疾う逃げよ、逐わずとも。
（『山椒大夫』より）

『山椒大夫・高瀬舟』新潮文庫

『白秋青春詩歌集』講談社文芸文庫

北原白秋
kitahara hakushū
三木卓編
白秋青春詩歌集
講談社文芸文庫
Kodansha Bungei bunko

森　鷗外　もりおうがい

明治を代表する文豪。代々典医の家柄で、両親の意向により陸軍軍医となり、軍医総監にまで上り詰めたがその一方で創作活動を続けた。官費留学したドイツを舞台に描いた『舞姫』、『山椒大夫』、『高瀬舟』などの時代小説など、流麗な文章で幅広い作品を遺《のこ》しています

『五重塔』岩波文庫

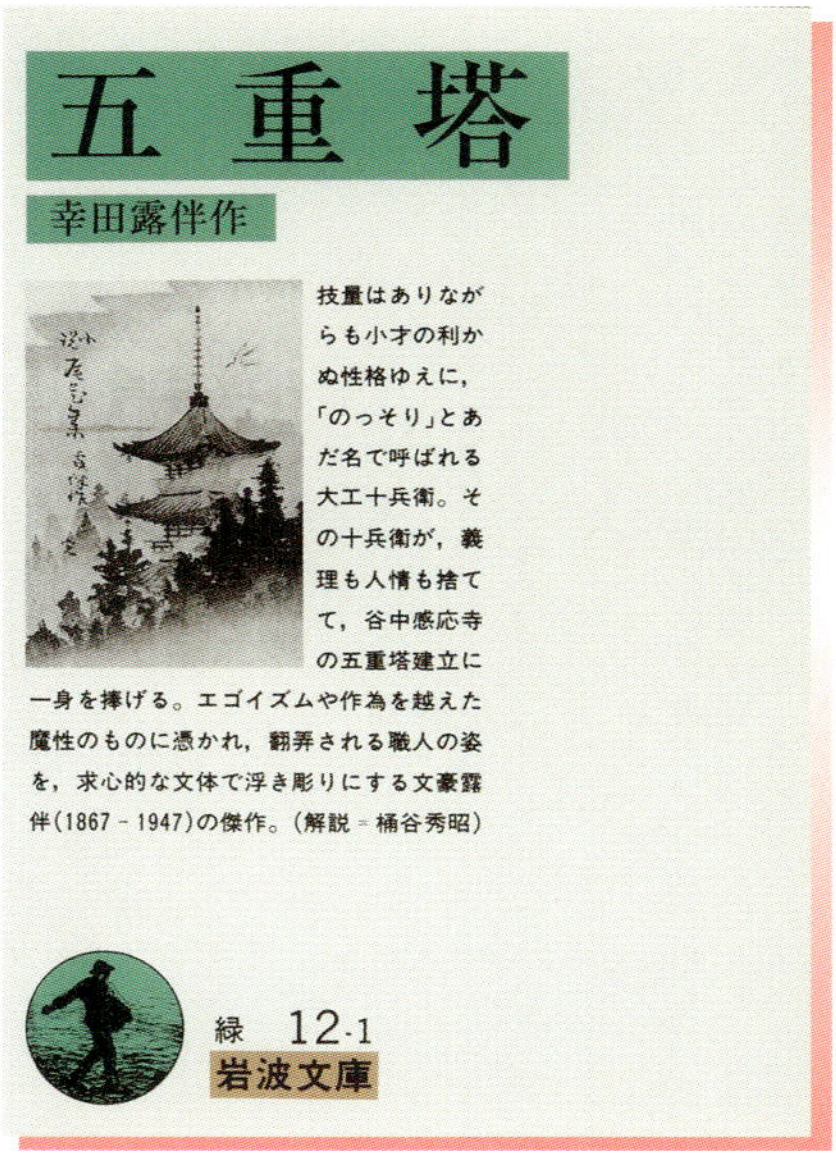
五　重　塔
幸田露伴作
技量はありながらも小才の利かぬ性格ゆえに，「のっそり」とあだ名で呼ばれる大工十兵衛。その十兵衛が，義理も人情も捨てて，谷中感応寺の五重塔建立に一身を捧げる。エゴイズムや作為を越えた魔性のものに憑かれ，翻弄される職人の姿を，求心的な文体で浮き彫りにする文豪露伴（1867 - 1947）の傑作。（解説 = 桶谷秀昭）
緑　12-1
岩波文庫

幸田露伴　こうだろはん

漢語や仏教語を自在に使いこなし、硬派の文学ファンを熱狂させた明治の文学者。『五重塔』はその代表作で、25歳の時に書いたもの。無名の大工が不朽の建築物を遺したい一心で五重塔を建てるという話。露伴の娘の幸田文さん、孫の青木玉さんも文筆家です

北原白秋　きたはらはくしゅう

どろどろの激しい恋をしては美しい詩を書いた明治時代を代表する詩人。エキゾティックな作風の詩集『邪宗門』で鮮烈なデビューをとげました。後に『あめふり』、『ペチカ』、『揺籠のうた』など童話作家としても活躍。また『マザーグース』の翻訳なども手がけました

『にごりえ・たけくらべ』新潮文庫

樋口一葉　ひぐちいちよう

明治の女流文学の第一人者。父親の死後、生活のために小説を書き始めましたが、師と仰いだ半井桃水《なからいとうすい》を愛してしまい、創作活動も低迷、貧困のどん底に。恋愛を諦め、一気に『たけくらべ』、『にごりえ』、『十三夜』を書いて文壇から絶賛され、翌年24歳で病死しました

物いふ声の細く清《すず》しき、
人を見る目の愛敬あふれて、
身のこなしの活々《いきいき》したるは
快き物なり
(『たけくらべ』より)

『西条八十詩集』ハルキ文庫

西条八十　さいじょうやそ

童謡から流行歌まで、明治から大正にかけて日本人に最も愛唱された詩人。「唄を忘れたかなりやは～」の『かなりや』、「母さん、僕のあの帽子どうしたでせうね？」の『ぼくの帽子』など、鮮烈なイメージを生み出す。『青い山脈』、『王将』など歌謡曲の作詞も

『春琴抄』新潮文庫

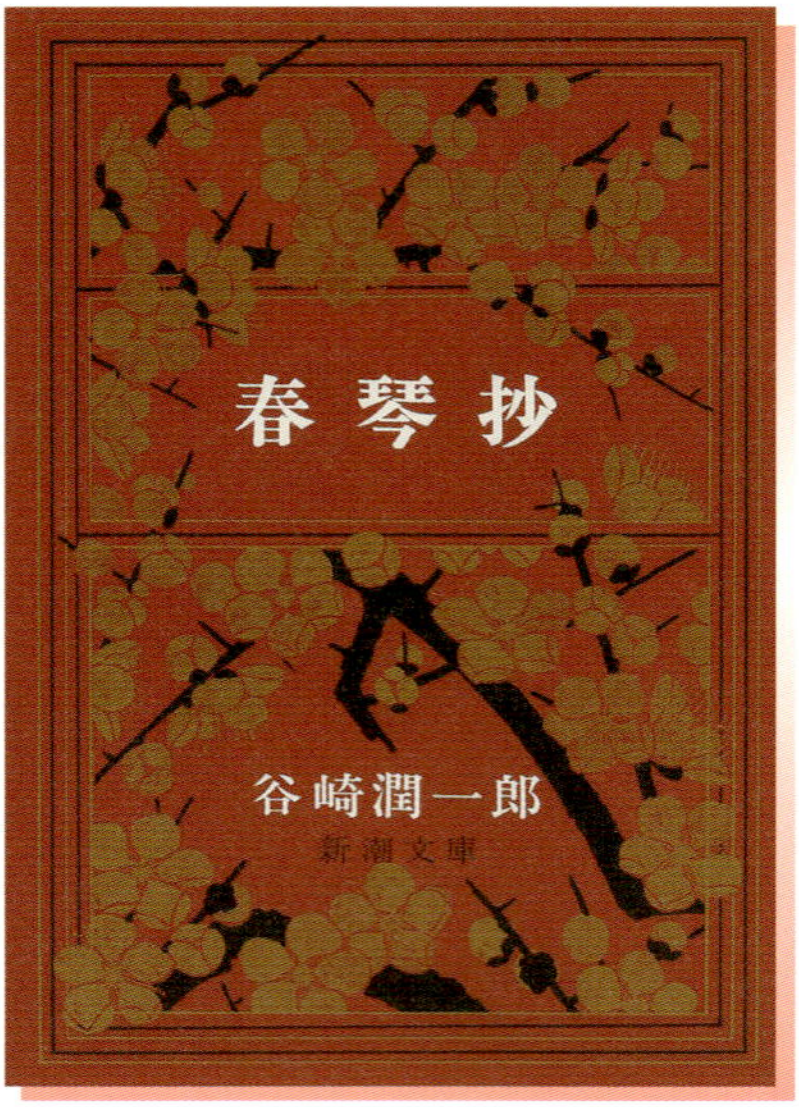

谷崎潤一郎　たにざきじゅんいちろう

絢爛《けんらん》豪華な錦絵のような世界を描き出した作家。官能的でエロティック、したたるように魅惑的な文章を駆使して『刺青《しせい》』、『痴人の愛』、『卍《まんじ》』、『春琴抄』、『細雪』など大衆文学の傑作を書き上げました。『陰翳礼讃《いんえいらいさん》』など自らの美意識を分析してみせたエッセイも秀逸

『陰獣』春陽堂書店　江戸川乱歩文庫

江戸川乱歩　えどがわらんぽ

日本の探偵小説の草分け的存在で、その名は推理小説の祖、エドガー・アラン・ポーをもじったもの。変態性欲やフェティシズムなどグロテスクな趣向を大衆向きの文学として昇華させました。『屋根裏の散歩者』、『人間椅子』、『怪人二十面相』など著書多数

青白いなめらかな皮膚の上に、
かっこうのいいなよなよとしたうなじの上に、
赤黒い毛糸をはわせたように見える
そのみみずばれが、その残酷みが、
不思議にもエロチックな感じを与えた。
（『陰獣』より）

『高野聖』角川文庫

その一段の婦人の姿が月を浴びて、
薄い煙に包まれながら向こう岸の
撒《しぶき》に濡《ぬ》れて黒い、
なめらかな大きな石へ蒼《あお》みを帯びて
透き通って映るように見えた。
（『高野聖』より）

泉　鏡花　いずみきょうか

浪漫的な幻想美を歌い上げた、日本の耽美小説の第一人者。美しい女性を聖なるもの、至上のものとして作品に投影させ、また現実と魔界とを往復しながら、独自の世界観を生み出しました。代表作に『天守物語』、『外科室』、『眉かくしの霊』などがあります

色を味方に

おしゃれの心得

赤はエネルギーを与えてくれます。
黄は人をなごませる力があります。
つまり色にはパワーがあるのです。
そして私たちの生活に大きな影響を
及ぼしているのです。
ですから、色を味方につけましょう。
人生の色合いはあなたが選ぶ色によって決まります。

マリー・ローランサン

（1883～1956年）色彩の魔術師と呼ばれた女流画家。20世紀前半にパリで一世を風靡《ふうび》した。グレイとピンクを中心に色彩を巧みに配し、繊細で華やかな女性像を数多く描いた。彼女自身も美しく、恋多き女性だったといわれている。
（『マリー・ド・メディシス』1926年　マリー・ローランサン美術館所蔵　）

Marie Laurencin 1926

色を大事にしないと、コワイことになります

私が出演しているテレビ番組『オーラの泉』では、いつも、とてもおかしなことが起こります。その番組ではスピリチュアルカウンセラーの江原啓之《えはらひろゆき》さんがゲストのオーラを感じ取り、その色を判別することから話が始まるのですが、毎回、ゲストの方のオーラの色と、私が身につけているドレスの色が一致してしまうのです。私は番組の始まる前から無意識のうちに、ゲストの方の状態を象徴する色を、感じ取っているようなのです。

その一方で、たくさんの方が、私の髪を見て、「どうして黄色なのですか？」と聞きます。今までに私は、いろいろな色で髪を染めてきました。一度に七色の虹の色に染めたこともあります。紫、グリーン、ショッキングピンク、オレンジ、ブルーの時もありました。今の黄色の髪にしたのは、7、8年前でしょうか。黄色というのは和の色、なごみの色です。金運がよくなるといわれる色でもあります。この色にしたおかげか、たしかに平和な気分でお金に困ることもなく、暮らせるようになりました。

こんなこともありました。ずうっと以前、客間のインテリアを、シルバー一

色で統一したのです。カーテンも家具も絵画もグレイのグラデーションでまとめたところ、なんと不幸が起こり、この家で葬儀を執り行うことになってしまったのです。グレイはたしかに、葬式の色でした。

そうかと思えば先日も新聞に、こんな記事が出ていました。イギリスの大学の研究チームが、2004年のアテネオリンピックの格闘技4種目について、競技服の色と勝敗の関連性について調べたのだそうです。すると、21試合のうち16試合で、赤い競技服を着た選手が青い競技服の選手に勝ったとか。つまり「赤を着ている選手が勝つ確立が高い」というのです。

私はこうしたさまざまな経験に基づいて、声を大にして申し上げます。

色を侮《あなど》ってはいけません。色を大事にしないと、コワイことになります。

色にはそれぞれ、意味があります

色にはパワーがあります。そしてそれぞれの色には、意味があります。

赤は、生命力と活力を生み出します。昔から肉体労働者の男性は赤いふんどしを身につけ、セックス産業に従事する女性も必ず赤い腰巻きを身につけました。活力を補い、危険を避けるためです。また生まれたばかりの子供を〝赤ちゃん"と呼ぶのは、生命力のかたまりだからです。還暦を迎えた人に赤いちゃんちゃんこを着せ、赤いふとんに寝かせるのは、活力を甦《よみがえ》らせるため。昔の人は、こういう色のパワーを無意識のうちに感知して、利用していたのでしょう。

紫は、魔を払う色。生命力を生む赤と、知性を象徴するブルーを混ぜると生まれる色ですから、情熱と知性のバランスをとる力があります。江戸時代には熱を取る働きがあると信じられていて、病人は紫色の鉢巻きをしました。

気をつけたいのは、黒とグレイのネガティブなパワーです。黒は黄泉《よみ》の色、闇の色、哀しみの色。グレイは不安、憂うつ、貧乏の色。お葬式の時に黒やグレイを身につけるのは、哀しみを表す行為として理にかなっています。ところが、日常生活の中では、黒やグレイは人を不安な気持ちにさせ、運気を下げてしまうのです。そんな時、衿もとやインナーなどに白い色を持ってくると、黒やグレイのマイナス要素を中和してくれます。白は高潔、純情、潔白、清らかな色。罪を消し、悪を遠ざける働きがあるのです。

黒とグレイの流行で、日本はダメになりました

第二次世界大戦前の日本の街は、美しい色であふれていました。不吉な黒い

色は、屋根瓦《がわら》だけ。家々は茶色、ベージュ、グリーンといったやわらかい中間色が多かったと思います。街を行く人々の装いも、庶民の着物は柄ものが多く、鶸《ひわ》色や鴇《とき》色、水浅葱《みずあさぎ》やお納戸《なんど》色といった洗練された色が使われていました。

マリー・ローランサンという画家を、ご存じでしょうか。独得の淡い色調で一世を風靡《ふうび》しました。彼女もまた、当時のヨーロッパ画壇の中で、ジャポニズムの洗礼を受けていたのでしょう。日本人の色彩感覚に通じるところを感じます。とりわけ、グレイとピンクの扱いは、見事です。

それほど美しかった日本の街から色を奪ったのは、戦争です。そして戦後の復興で街がカラフルになってきたのも束の間のこと、昭和40年頃から大気汚染で空が汚れ始め、それと歩調を合わせるように日本の街からきれいな色が消えていきました。

真っ黒な服が大流行したのは、バブル崩壊前夜のこと。いやな予感がしていたのですが、案の定、日本経済は破綻《はたん》し、以来不景気が続いています。犯罪が多発し、精神的に追いつめられたり、疲れきっている人々が多いのも、建物や街、暮らしの中の色合いに原因があるのです。ビルディングの外装や駅の構内は殺風景なグレイで塗りつぶされ、黒やグレイの車ばかりが走り回り、人々の

マリー・ローランサン美術館

館長の高野氏の蒐集《しゅうしゅう》した個人コレクションをもとに1983年に開館。現在は500点余りの収蔵作品が展示されている、世界で唯一のローランサンの専門美術館。

◆長野県茅野市北山4035蓼科湖畔

☎0266・67・2626（アートランドホテル蓼科）

服装も汚い色だらけ。これでは人の心は荒《すさ》んでいくばかりです。

いっそのこと、国会議員たちや政財界のお偉方たちが、いっせいにピンクや黄色のスーツを着ればいいのではないかと、私は考えています。戦争や経済的摩擦なども、一気に解決するのではないでしょうか。

そしてあなたも、色のパワーを味方につけましょう。

疲れていたり不幸な時には、黒やグレイの服に手がのびますが、そこで無理をしてでも、カラフルな色の服を着てごらんなさい。気分が徐々に変わり、元気になります。明るい色は似合わない、という人もたくさんいますが、それは単なる思い込みにすぎません。日常的にはなるべくシャーベットトーンの明るい色をお召しなさい。

あなたの人生の色は、あなたが選ぶ色で決まるといっても、過言ではないのですから。

おしゃれコラム 6 ～色に秘められたパワー～

色はそれぞれ異なるパワーを秘めています。あなたが必要な時に必要な力を補うために、それぞれの色が持つ力の意味を、覚えておきましょう。いざという時にあなたを助けてくれる心強い味方になるのです。

赤 *red*

生命力を与え、情熱を盛り上げてくれる色

赤い色を見るだけで心臓の鼓動が速まるほど、赤という色には強いパワーがあります。生命力を与え、エネルギーの発散を促し、愛や勇気、情熱を盛り上げてくれます

黄 *yellow*

平和を呼び、金運を招いてくれる色

黄色は平和や和合の色。友達ができないという人は、黄色を身につけるとよいでしょう。仏教では最高位を示し、中国では皇帝の色といわれます。また金運をよくする色です

ピンク *pink*

優しさや愛情を表す色

情熱の赤に清らかな白を混ぜた、愛らしい乙女の色です。優しさや幸福感、ぬくもりを感じさせる色ですが恋の色でもあります。身につけると心も体も若返り効果があるようです

紫 *violet*

知性と情熱を兼ね備えた理想の色

紫は高貴な色。魔を払う色です。仏教では、観世音菩薩の体の色が紫金色と言われます。情熱の赤と冷静な青を混ぜた、調和のとれた理想の色です。解熱作用もあるといわれます

青 *blue*

落ち着きと知性をもたらす色

内省的な落ち着きを示す色です。自制や服従、自立心などを意味する色でもあります。鎮静効果があるので、不眠症の人は青い部屋で横になると深い眠りが得られるとか

緑 *green*

リラックス効果のある癒しの色

緑の草木を見るだけで、気分がリラックスすることからもわかるように、緑色は脳の興奮を鎮めてくれます。また、プレッシャーを感じている人を癒してくれる働きがあります

ベージュ・茶 *brown*

母なる大地の色、落ち着きを与える色

母なる大地の色であり、安定の色、落ち着きを与えてくれる色です。赤みを持つと情熱を、黄色に近づくと明るさをも意味します。飽きることのない、安心できる色です

白 *white*

汚れのない、無《む》垢《く》な色

世界中どこにいっても同じように、白は神聖でめでたい色とされています。天使の色であり、花嫁の色でもあります。汚れを落とし、清純、無垢、純粋、清浄などの象徴です

グレイ *gray*

無個性に徹してほかの色を引き立てる色

グレイが意味するのは、無です。不安や無気力、憂うつ、沈滞、貧困などを連想させる色です。ほかの、鮮やかな色の引き立て役として使う分にはよいでしょう

黒 *black*

黄泉の色、哀しみを伝える色

黒は黄泉の色、闇の色。哀しみや厳しさ、死を感じさせる不吉な色です。喪服に使われるのも当然ですね。不満や恐怖を伝えてしまう色でもあります。使い方に気をつけましょう

洗練された和の美意識

おしゃれの心得

古きよき時代の叙情歌も、
江戸の美意識を今に伝える千代紙も、
守るべき平和の象徴です。
はかなげで、たおやかで洗練された日本の美は、
平和な世界でしか生き残れない稀少品なのです。
こんな不安な時代だからこそ、そんな和の美意識を
生活に取り入れ、大事に守ってほしいのです。

朧《おぼろ》月《づき》夜《よ》

高野辰之作詞
岡野貞一作曲

菜の花畠《はなばたけ》に　入日薄れ
見渡す山の端《は》　霞《かすみ》深し
春風そよ吹く　空を見れば
夕月かかりて　匂い淡し

里わの火影《ほかげ》も　森の色も
田中の小路を　たどる人も
蛙《かわず》の鳴く音《ね》も　鐘の音も
さながら霞《かす》める　朧月夜

私はコンサートで、日本の叙情歌を好んで歌います。『朧月夜《おぼろづきよ》』や『夏は来ぬ』など、古きよき時代の名歌は、私にとっては平和の象徴。美しいモノを愛《め》で、気持ちよく安寧《あんねい》に過ごす毎日にこそふさわしい、清潔で無垢《むく》な音楽なのです。

テロの恐怖、愚かしい戦争、そして異常気象や地震などなど、天変地異の気配さえ感じられる昨今、これらの歌が連れていってくれる桃源郷こそが、平和を思い出させる美意識こそが、世界を救うのだと信じているのです。

世界に類を見ない、日本の美意識

私の歌を聴いていると、まるで映画を観ているように情景が目に浮かぶ、とみなさんおっしゃいます。それもそのはず、私は歌う時、頭の中に曲の情景をはっきりと描いています。絵を描くのが大好きですし、映画もたくさん観ていますから、そのイメージはかなり鮮烈です。そして頭に浮かんだその画像そのものを、私は歌を通してみなさんに送っているのです。

たとえば『朧月夜』でしたら……。

あたり一面の、菜の花畑。
夕暮れ時の淡い光に、黄色い花々がところどころ
卵色や黄土色に染まって見えます。
夕日が薄れてくると、残照は茜色《あかね》。
ピンクがかったグレイも入り交じります。
遠景には、夕暮れて藍色に沈む山々が。
霞《かすみ》がたなびいて、ところどころ輪郭がぼやけています。
人恋しさを募らせる春風が首すじをくすぐり、
ふと空を見上げれば、
青みがかった白い月が、夜を招いているような……。

こんなにはかなげな、蜻蛉《かげろう》の羽のように透き通った、たおやかで洗練された美しさは、日本特有のものであり、世界に類がありません。

たとえば色彩感覚ひとつとっても、他国とはまったく異なります。中国だったら、まず頭に浮かぶのは、朱色や金色。韓国においては、黄色やピンクでしょうか。とても鮮やかで、それはそれで美しい色ばかりですが、日本はそこに

ひとひねり、アレンジを加味するのです。

紫という色にしてもそのまま使うのではなく、グレイを混ぜてみたり、青みがかったり、ピンクがかってみたり。さまざまにアレンジした結果、藤色、菫《すみれ》色、江戸紫、古代紫、菖蒲《しょうぶ》色……、数えきれないほどの紫をつくり上げてきました。そしてそれらの色を、私たち日本人は日常生活の中で思う存分、楽しんできました。

さらに、こうした叙情歌はただ風景を歌っているように見えながら、実はそこに無常観や諦観《ていかん》、悟り、平和への祈りなどなどが、こめられています。さらには作者たちの心象風景までも、描かれています。

刻々と変化する大自然の描写は、かけがえのない私たちの人生もまた、静かに、そして確実に、流れ去っているのだということを、思い出させてくれるのです。そうした時の流れを止める術を持たない私たち人間にできることは、今この時、この瞬間を感謝して生きること……。

不思議なのは、昔の日本の情景など見たこともなく、「和」の知識など持たない若い人でも、私の歌を聴いているとそうした情景が「くっきりと心に浮かんできました」と、おっしゃることです。

繊細で味わい深い日本の伝統色

紫色ひとつでも、明るい紫、暗い紫、濃い紫、薄い紫……、微妙な差を「言葉（色名）」を通して識別してきた日本人。植物の名が多く使われているのは、自然と共生しながら、四季折々の色合いを愛《め》で、楽しんできた日本人ならでは

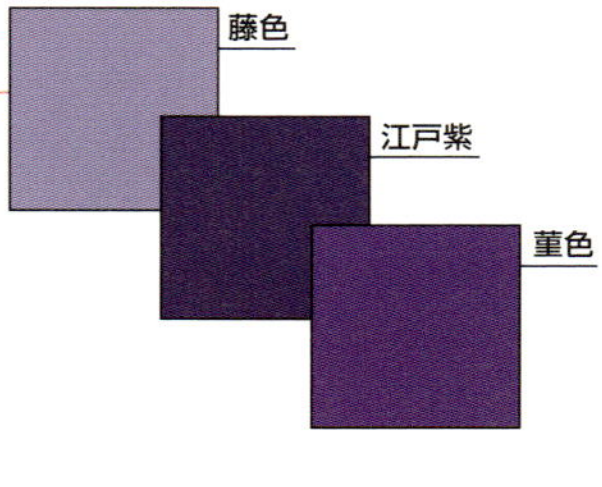

体の中に脈々と伝わる日本人のＤＮＡが、私の歌声で記憶を甦《よみがえ》らせるのでしょうか。平和に生きることの楽しさ、素晴らしさも、はっきり感じ取ってほしいと、切に願わずにいられません。

和の色と柄を千代紙に学びましょう

こういう「和」の情景を切り取って、暮らしに取り込めるようにしたのが、千代紙です。「和」の色を絶妙なコンビネーションで組み合わせ、伝統的な柄や文様をアレンジした、美しい千代紙たち。

私が子供の頃には、たいていの女の子は千代紙をコレクションしていました。仲よしの子に気に入りの千代紙を贈ったり、友達同士で交換したり。その千代紙を使って、姉さん人形を作ったり。そうやって私たち日本人は、色彩感覚や柄、文様に対する美意識を、磨いてきたのでしょう。

着物を着る時の、あの独特の色使い。半衿《はんえり》や帯揚げ、着物と帯、羽織や足袋《たび》などなど、洋装とはまったく異なる、色と色、柄と柄のコーディネイトは、こうした千代紙遊びからその修養が始まっていたのかもしれません。

おしゃれコラム 7

～きれい！ 日本の伝統柄～

四季の草花をモティーフにしたり、歌舞伎役者が考案した図案であったり、江戸の庶民文化の発達に合わせて、さまざまな文様を生み出してきた日本人。この洗練された美意識はさすがです。

江戸時代から続く千代紙の老舗

菊寿堂いせ辰

創業1864年、江戸千代紙を今に伝える老舗。千代紙を使った小物のほかにも、風呂敷、手ぬぐいなども、とても粋《いき》でおしゃれです。

◆［谷中本店］東京都台東区谷中2の18の9 ☎03・3823・1453
［千駄木店］☎03・3823・7810 ［横浜店］☎045・623・2199

あやめ

豆鶴《まめつる》

鹿《か》の子《こ》

麻《あさ》の葉《は》

吉原《よしわら》つなぎ

秋草《あきくさ》

雁《かり》がね

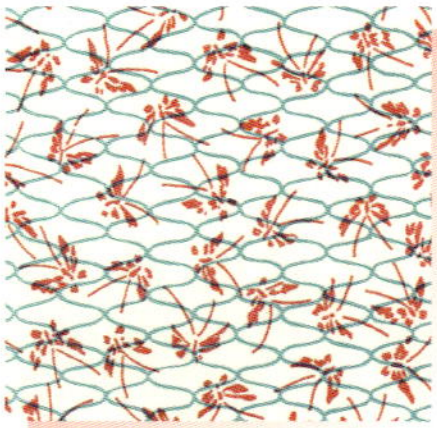
網《あみ》に蝶《ちょう》

御所人形《ごしょにんぎょう》

みだれ藤《ふじ》

矢絣《やがすり》

かまわぬ

『いせ辰』の千代紙「江戸柄25種」より

第二章

今こそ
評価すべき
美の伝道師たち

夢二のロマンティシズム

おしゃれの心得

竹久夢二《たけひさゆめじ》は、日本人の生活の中に
新たな美意識を取り込み、暮らしの中に
アートを育てた最初の功労者です。
さまざまなジャンルの作品に封じ込められた
詩心やのどかな時間、そして空気を感じてください。
今まであなたに足りなかった
ロマンティックな気分を味わうことができます。

夢二の描いたモダンライフ

三越の広報誌に使われた竹久夢二の絵。当時の人々の理想的ライフスタイルをディテールに至るまで叙情豊かに描いている。大胆な構成、繊細な色彩感覚が素晴らしく、独特の美人画にとどまらない、夢二の幅広い才能がうかがえる。『野遊び』（『三越』第15巻10号　大正14年）

日本が生んだ大天才、竹久夢二《たけひさゆめじ》のお話をしましょう

竹久夢二の名を聞いても、ほとんどの方は
「あの美人画を描いた人でしょう?」
という程度しかご存じないと思います。

一度でも夢二の作品をごらんになった方なら、彼が好んで描いた、大きな瞳でなで肩の、物憂げな大正美人が目に浮かぶでしょう。彼の人生を映画化した作品をごらんになった方なら、夢二を「大正ロマンの先駆者」、「恋多き叙情画家」と呼ぶかもしれません。ですが夢二は、それだけの人ではありません。もっと広範囲で活躍した天才的な総合芸術家であったのです。

日本画家として独得の画法を確立する一方で、楽譜に添えるイラストを素晴らしいタッチで描き上げた、イラストレーターでもありました。グラフィックデザイナーとしてポスターやカレンダー、便せんやはがきのデザインを手がけ、日本におけるレタリングの先駆者として素晴らしい業績を残しました。また人形作家として数多くの人形を作り出し、髪飾りを作り、さらには着物の反物の柄や半衿《はんえり》のデザインまで手がけた、いわば、日本初のマルチプレーヤーともい

竹久夢二

たけひさ・ゆめじ(1884〜1934年)
岡山県生まれ。17歳で上京し、早稲田実業学校在学中から独学で絵を描き始め、大正ロマンを象徴する"夢二式美人画"で一世を風靡《ふうび》した。詩や童謡など文芸にも才能を発揮。恋多き人生でもあった

夢二の描いた“ミスニッポン”

昭和6年、屏風《びょうぶ》に描いた『立田姫《たつたひめ》』は夢二の代表作といわれる。扇を持つ着物の後ろ姿の美しさ、振り向いた笑顔のせつなさが会心の作だったらしく、夢二自ら、「これぞミスニッポンだ」と口にしたとか。（夢二郷土美術館所蔵）

える存在でした。

詩のように絵を描いた天才叙情画家

夢二が生まれたのは明治17年（1884年）。当時、一人前の画家になるには、有名な画家に弟子入りするのが当たり前のコースでした。しかし夢二は、学生時代に作品が新聞に掲載され、誰に教えを請うこともなく、読者の圧倒的な支持を集

夢二郷土美術館

上の『立田姫』をはじめ、『秋のいこい』、『加茂川』など竹久夢二の名作を多数所蔵。本館のほかに、16歳まで過ごした「夢二生家」、東京にあったアトリエを復元した「少年山荘」も近くに建てられている。
◆（本館）岡山県岡山市浜2の1の32
☎086・271・1000

めてプロの画家となりました。

その筆致《ひっち》はアバンギャルドで、決して正統派ではありません。それまで浮世絵の世界では、女性の手足は小さめに描くのがお約束だったのに、夢二は女性の手も足も、実物よりもずっと大きく描きました。大きな日本髪に結い上げた美人画が多い中で、夢二だけはモデルにざっくりと小さく髷《まげ》を結わせ、それを描きました。

私の好きな絵に、後ろ向きに立っている女が、無理に首をねじってこちらを見ている絵（前ページ『立田姫《たつたひめ》』）があります。デッサン的にはありえないポーズなのですが、そう、まるでピカソのように、そういう形でなければ描けない何かを、夢二は表現しているのです。

あの『宵待草《よいまちぐさ》』のように素晴らしい詩まで書いてしまう才人でしたから、彼の作品は、詩を絵にするとこうなる、といった風情の絵でした。

叙情画家として名を成す一方、日本橋に『港屋絵草紙店』を開き、そこで彼は自作の便せんやはがき、カレンダーなどなど、繊細なデザインで彩られた小物を販売しました。

それらの商品に描かれたロマンティックで美しい絵柄は、日本中の女性たち

銀座千疋屋のポスター

企業広告のデザインも夢二の仕事の一部だった。これは黒い背景に、図案化した果実の鮮やかな色彩を浮き出させた斬新なポスター。アートディレクションからレタリングに至るまで、すべてを夢二テイストで統一した、彼ならではの作品。（昭和初期）

を虜《とりこ》にしました。ちょうど世界的に、アールヌーボーからアールデコへと移行していった時代です。世界的に流行していた叙情的な絵柄やモダンなデザインを、日本的なものに昇華して日常生活の中に根づかせた、まさに功労者といえましょう。夢二はつまり、日本人の暮らしの中に、アートを育てた人であったのです。

彼の描いたポスターをはじめとする作品群は、今見ても十分魅力的です。三越のポスターや千疋屋《せんびきや》のポスターなど、色彩といい大胆な構図といい、まさに商業美術のお手本です。明治から大正にかけて、夢二の洗練されたセンスが人人の暮らしに与えた影響は、計りしれません。

また、あまり人に知られてはいませんが、夢二の描いた絵本はとても素晴らしいものです。添えられた文章も優しく、子供たちへの愛にあふれた作品ばかりです。童話のさし絵にも、魚、鳥、は虫類、虫など愛らしい動物たちがユーモラスなタッチで描かれています。

ところが日本の画壇は、竹久夢二という画家を認めようとはしませんでした。旧弊《きゅうへい》で封建的な人々にしてみれば、竹久夢二のようにあれもこれも手がけて素晴らしい才能を発揮する存在は、許せなかったのでしょう。

レタリングの草分け的存在

ポスターや本の装丁、雑誌や楽譜の表紙を数多く手がけた夢二は、レタリングも手がけ、フリーハンドでさまざまな書体を作り出した。詩を書くように絵を描き、絵を描くように文字を書いた。日本のグラフィックデザインの草分け的存在だ。
『くさ』表紙（昭和4年）

とはいえ、竹久夢二の名は今も残り、熱烈なファンが今も後を絶ちません。画壇が認めようと認めまいと、どんな大家が悪口を言おうと、大衆がいいと認めたものは必ず残るのです。どんなに非難されようと、一般のファンが愛するものは、しぶとく生き残っていくのです。私が世に出た時もそうでしたが、カリスマ的な才能にとって、メディアの評価や業界の反応などは、あまり意味を持ちません。

それよりもまず一般大衆がその才能を認め、求めて、愛するのです。だからこそ、今もこうして夢二の作品は古びることなく、いきいきと私たちに訴えかけてくるのでしょう。

また夢二は、恋多き男性としても、有名です。

結婚して3人の子供をもうけた、他万喜《たまき》。他万喜が経営していた『港屋』に遊びに来て、夢二と互いにひと目惚《ぼ》れ、親の反対を押しきって恋におち、病に倒れた彦乃《ひこの》。そしてモデルとして知りあい、同棲生活にひたりきったお葉《よう》などなど……。どの女性も大きな目を伏し目がちに、細い肩がいじらしい写真が残っています。現実に目の前に生きている美女を愛しながら描いたからこそ夢二の絵はたおやかなれど熱き血の通う、真の叙情画となったのかもしれません。

優しいタッチの子供向けの作品

夢二は子供好き、動物好きでもあった。人気シリーズだった絵はがきには、あどけない子供のさまざまな姿が愛情こめて描かれている。童話に数多く描かれているさまざまな動物や魚、鳥などもユーモラスでほのぼのとした筆致だ。（右）『小学生全集2　幼年童話集』表紙（昭和3年）、（左）『夢二画手本4』（大正12年）

夢二ファンには美しい人が多いとか

この夢二の美学の後継者こそ、中原淳一《なかはらじゅんいち》さんであったと私は思います。美しいものをひたすら愛し、その美意識を生活全般に生かそうとした総合プロデューサーとして、中原さんは夢二の夢を引き継いだのです。

夢二ブームは昭和後半にもいくたびも繰り返され、最近も画集や作品集が発表されているようです。興味のある方はぜひ一度、東京にある弥生美術館に隣接する竹久夢二美術館に行って、夢二の作品をじかにごらんになってはいかがでしょうか。絵に封じ込められた詩心やのどかな時間、空気を感じれば、今まで味わうことのなかったロマンティックな気分が補えます。

ここを訪れる女性たちは、おしゃれな方が多いと聞きました。もともと夢二に関心を持つくらいですから、美意識を持った、素敵な女性が多いのでしょう。なかには中原淳一風のお出かけ着や、夢二好みのアンティーク着物で来館する方もいらっしゃるとか。夢二の絵の中の女性になった気分で、美術館を楽しんでください。

夢二オリジナルの千代紙

繊細なデザインと大胆な配色の、夢二オリジナルの千代紙4種。夢二は日本橋呉服町に『港屋絵草紙店』を開き、妻の他万喜に切り盛りをさせて、千代紙をはじめ自らデザインした趣味の小物を販売し、女性たちに大人気となった。（大正期）

夢二テイストの着物の半衿

着物の衿もとを飾る半衿は、着物姿にアクセントをつけるスパイス的小物。夢二は動植物の模様や素朴な野の花をかたどった斬新な半衿を次々と発表。着物をモダンにロマンティックに着こなす提案をした。『手製半襟《はんえり》の図案』（『婦人之友』大正4年）

おしゃれコラム 8

～夢二の世界へようこそ～

殺伐とした今、経済効率が最優先されるこの時代、私たちに必要なのは、夢二が表現し続けてきたロマンティシズムです。しばし時間を忘れ、夢二の世界にまるごと身をあずけてごらんなさい。

あの頃の"美"を集めた場所

弥生美術館
竹久夢二美術館

弥生美術館は、高畠華宵《たかばたけかしょう》をはじめ明治から昭和を通して出版物で活躍したさし絵画家の作品を見ることができます。年4回、企画展を開催。隣接する竹久夢二美術館は、都内で夢二の作品が見れる唯一の美術館。建物が建つ東京・本郷は夢二が滞在した菊富士ホテルがあったゆかりの場所。◆東京都文京区弥生2の4の2 ［弥生］☎03・3812・0012 ［夢二］☎03・5689・0462

竹久夢二美術館の収蔵は日本画、油彩、書、スケッチ、版画、デザイン画など約3千点。年4回、夢二にちなんだテーマで企画展を開いています。弥生美術館では内藤《ないとう》ルネ展、水森《みずもり》亜《あ》土《ど》展など個性的な企画展も多く話題を集めています

きっと新しい発見がある

夢二の本

新しい視点から夢二を見直す本が続々と出版されています。着物の着こなしから暮らしのデザインに至るまで、夢二の美意識は今もいきいきと息づいています。

竹久夢二のおしゃれ読本

少女・婦人雑誌の表紙絵や口絵を中心に、粋《いき》でモダンな夢二ならではのおしゃれの世界を紹介。夢二入門書にぜひ。（河出書房新社）

竹久夢二 大正モダン・デザインブック

雑貨店オーナーであり、広告のデザインや書籍の装丁なども手がけた夢二。本書はデザイナーとしての夢二をクローズアップしています。（河出書房新社）

昭和モダンキモノ

夢二、華宵、蕗谷《ふきや》虹児《こうじ》などが少女雑誌や婦人雑誌に発表した叙情画から、大正浪漫、昭和モダンの着物の美学を紹介する本。（河出書房新社）

夢二デザイン

本の装丁、ポスターや千代紙、半衿などなど夢二が手がけたあらゆる生活雑貨のデザインを再検証。（ピエ・ブックス）

夢二エハガキ

デザイナーとしての仕事が再評価されている夢二の仕事を絵はがきとして再現したぜいたくな一冊。（ピエ・ブックス）

スーパースタイリスト華宵

おしゃれの心得

竹久夢二《たけひさゆめじ》と中原淳一《なかはらじゅんいち》の間に位置し、
大正から昭和にかけて活躍したさし絵画家、
高畠華宵《たかばたけかしょう》。彼が絵に描き込んだ卓越したセンスは、
日本中の女性に多大な影響を与えました。
そして、何十年も前に描かれたものなのに、
アンニュイでデカダンスな世界は、いまだ
私たちを刺激してやむことがありません。

ファッションリーダー高畠華宵

昭和初期、高畠華宵の描く絵は最先端のトレンドだった。華宵が描いた絵柄を参考に、百貨店が新製品を作ることもあったとか。髪型や帯の結び方、小物の使い方に至るまで提案する、カリスマ的なスタイリストでもあった。

『(仮)ニューファッション』(雑誌口絵)

昭和初期のエッジな感覚が「華宵好み」

——ぼかしの着物は蝶の柄。
縁をかがった中振り袖の、たもとに揃えて裾はひざ丈。
市松模様の衿もとには、
レースのインナーとパールのネックレスをのぞかせています。
リボンの帯締めをラフに結んで、
足もとはとんがりトウのハイヒールパンプス。
ウエービーな断髪に花を一輪添えて、
小ぶりなパラソルで小粋《こいき》に仕上げました——

前ページの高畠華宵《たかばたけかしょう》の絵にキャプションをつけるとしたら、定めしこんなところでしょうか。

こんなスーパーコーディネイトの着物姿を、あなたはごらんになったことがありますか?　昭和初期のモダンガールは、最近流行のレイヤードルックもはだしで逃げ出しそうな、こんな自由で、ハイテクニックなおしゃれで街を歩い

高畠華宵

たかばたけ・かしょう(1888〜1966年)愛媛県生まれ。大正末期から昭和初期にかけて活躍したさし絵画家。流行を敏感にキャッチして雑誌の表紙、口絵、さし絵、また便せんの絵柄などを描き、全国の少年少女の憧れの的となった

ていたのです。そしてこういうスタイリッシュな女性を、人々は、華宵の描く絵のようだと「華宵好み」と噂して、賞賛し、うらやんだのでした。

高畠華宵は、明治21年（1888年）生まれ。大正末期から昭和初期にかけて一世を風靡《ふうび》した、さし絵画家です。その華宵の絵を少年の頃から大好きだった弁護士・鹿野琢見《しかのたくみ》が、不遇な環境にあった晩年の華宵を自宅に引き取りました。そしてその死後、自宅を改装して残された華宵の絵を展示することにしたのです。そこが、現在の弥生美術館となりました。

それだけ高畠華宵の絵には、人の心に残る強いインパクトがあるのです。竹《たけ》久夢二《ひさゆめじ》や中原淳一《なかはらじゅんいち》のように幅広く活躍したわけではありませんが、華宵が描いた絵には、見る人の心を揺さぶる何かが確実にあったのです。

美女と美少年のエロティシズム

高畠華宵は竹久夢二の美意識を引き継いで人気画家となり、中原淳一が時代の寵児《ちょうじ》となる前に第一線から退いています。時期的にはちょうどふたりの巨人の間にはさまれた格好ですが、華宵にはふたりにはない独特の美学がありました。それは上品さでコーティングした上質のエロティシズムです。

二重まぶたが特徴の華宵美人

華宵の描く美人の最大の特徴は、そのまなざし。二重まぶたの大きな瞳は夢を見ているようで、妖《あや》しく悩ましい。この絵の髪型は当時流行した"ラジオ巻き"。耳もとで三つ編みを丸めている。『（仮）百合』（雑誌口絵）

それまで日本の美人画といえば、一重まぶたの和風美女と決まっていたのですが、華宵が初めて、くっきりとした二重まぶたの現代的な美女を描きました。美人女優として有名な原節子《はらせつこ》さんや岡田嘉子《おかだよしこ》さんとよく似た、華やかな顔立ちで牡丹の花のようにあでやかな美女たちです。

華宵が描いたのは、美女だけではありません。10代の美少年、20代の美青年の美しさも、華宵は好んで取り上げました。潤んだような妖艶《ようえん》なまなざし、すべすべとした肌の質感、肉づきのいい官能的な肢体、恥じらいと恍惚《こうこつ》を絶妙に混合した、えもいわれぬその表情……。とりわけ、10代前半の少年にしか存在しない、凄絶なエロティシズムをここまで明確に描ききったのは、後にも先にも華宵ただひとり。

しかも、女性を描いても男性を描いても、華宵のエロティシズムには必ず、犯しがたい高貴な雰囲気が添えられているのです。上品であると同時にエロティック、この色香は誰にも真似できないものでしょう。

竹久夢二はその画面からリアリスティックなものを一切排除し、ロマンティシズムを追求しましたが、華宵は精緻《せいち》なデッサン力を武器に、再び画面にリアルな質感を呼び戻した画家でした。生々しく写実的で、しかもそこに美の理想

美少年の美しさに注目！

華宵は日本で初めて、少年や青年の美しさに着目して絵を描いた。清潔でひたむきで凜《り》々《り》しい少年たちを描いた叙情画は、ときに官能的。冒険小説のさし絵に醸《かも》しだされたエロティシズムは、日本中の少年少女、そして大人を虜《とりこ》にした。(『日本少年』表紙　実業之日本社　昭和5年7月号)

※**アンナ・パブロワ**
20世紀初頭を代表するロシアのバレリーナ。彼女の踊る〝瀕死の白鳥〟は圧巻だったという。バレエを広めるために世界中を公演、1922年には日本の各地を公演をし、日本中にバレエフィーバーを巻き起こした

を追い求めたところに、彼の矜持《きょうじ》があったように思えます。

トレンドセッターの役割も果たした

また、華宵を語る時には、ファッションリーダーとしての功績も、見逃せません。アールヌーボーからアールデコへ、人類の美意識が頂点に達したあの頃、日本でも美しいモノ、斬新なもの、新奇なものへの関心や憧れが高まっていました。少年少女向け雑誌や大衆婦人向け雑誌などで最も実力のあるさし絵画家として地位を確立していた華宵は、欧米の風俗やニューファッションなど新しい文化をいち早くキャッチして、自らの絵によって読者に紹介していたのです。

大好きな無声映画や、来日したアンナ・パブロワ※のバレエ公演、サーカス公

"華宵好み"はブランドだった！

華宵が描く着物の柄や半衿《はんえり》、帯などは"華宵好み"と呼ばれ、絶賛された。この絵に描かれているのはクモの巣模様を白抜きしたぼかし地に、つたの葉模様を染め出した着物。アールデコの美意識が見事に反映されている。(『婦人世界』口絵　昭和4年7月号)

高畠華宵大正ロマン館

華宵の生まれた愛媛に建てられた記念館。日本画から、下絵、スケッチをはじめ、華宵の作品は4千3百点にものぼる。大正文化の推移を肌で感じることができる、年4回のテーマ展と年2回の特別展を開催している。◆愛媛県東温市下林(愛媛わんわん村内)　☎089・964・7077

演などなど、当時の最先端の情報を紹介するのも、彼の絵に課せられた大きな役割でした。

さらに、センスのいい新しい着物の着付け、和洋折衷の着物のモダン柄、半衿《はんえり》や帯、帯揚げとの新感覚コーディネイト、洋装のヒントなどなど、華宵がその絵に描き込んだ卓越したセンスは、日本中の女性に多大な影響を与えたのです。

今から何十年も前の絵なのに、華宵の絵は時代を超えて、まったく古臭くありません。それどころかどこかアンニュイでデカダンスでせつなくて、一度見たら忘れられない世界です。

そういえば、私が10代の頃、推理小説家の江戸川乱歩《えどがわらんぽ》先生に初めてお目にかかった時に、先生はこうおっしゃいました。

「ほう、キミはどこからどう見ても、華宵描くところの美少年だね」

今も、光栄に存じております。

昭和初期の水着ファッション

昭和5年の少女雑誌に掲載された水着のイラスト画。当時最もおしゃれとされた水着とともにジャケット、帽子やターバンとのコーディネイトを紹介。「こういうチェック柄は素敵ですね。ロマンティックで、今見ても新鮮でしょう?」。『渚の風』(『少女画報』口絵　昭和5年7月号)

おしゃれコラム 9

～美を描き続けた叙情画家たち～

夢二、華宵以外にも素晴らしい才能がたくさんいました。その中から、大正から昭和にかけて活躍した大好きなさし絵画家を紹介しましょう。センチメンタルで叙情的、そして美しいモノを描かずにはいられなかった人たちです。

美しい大人の女性のセンチメンタリズムを描くのは、蕗谷虹児の独壇場でした。
『君子蘭』（『少女の友』口絵　昭和10年5月号）

クールビューティを描く

蕗谷虹児

『令女界』、『少女画報』の表紙絵で一世を風靡した画家。切れ長の目、陶器のような肌、虹児の描く美女は官能的でありながらクールな視線を投げかけ、見る人を虜にします。ファッショナブルで、都会的な大人の女性を描くのが得意でした。一時期パリ画壇で活躍した後は、『花嫁人形』などの詩画や、童話のさし絵など幅広いジャンルで絵を描き続けました。ぜひ覚えてほしいひとりです。

［プロフィール］

ふきや・こうじ（1898～1979年）
15歳で日本画家・尾竹竹波《おたけちくは》に入門。22歳の時、竹久夢二の紹介でさし絵を描き、たちまち売れっ子の叙情画家に。詩画集を出したり童話のさし絵を描くなど幅広く活躍して、人気を博した

10代で日本画家・尾竹竹波のもとで絵を学んだ虹児は、江戸趣味の絵も数多く描いています。『糸屋の娘』(『令女界』 昭和13年4月号)

「金襴緞《きんらんどん》子《す》の帯しめながら～」の童謡『花嫁人形』を作詞したのも蕗谷虹児

童話のさし絵も。世界名作童話『アラビアンナイト』より「アリババと四十人のとうぞく」

Museum Data

蕗谷虹児記念館

蕗谷虹児の出身地である新潟県新発田市に建てられた記念館。晩年になって13歳の時に29歳で没した母を描いた、『西堀通り』をはじめ、原画千余点、直筆原稿、書籍、雑誌、写真、遺品などを一望にすることができます。

◆新潟県新発田市中央町4の11の7　☎0254･23･1013

てんにょたちは
びっくりして、いそいで
きものを きると、
みんな とりになって
とびさりました。
けれども おりひめだけは
きものが ないので、
とべませんでした。
「どうか わたしの つまに なってください。
そうすれば、この きものを おかえしします」
と うしかいが たのみました。おりひめは
とうとう、うしかいの つまに なりました。

初山滋の傑作といわれる、
七夕のラブストーリー。
『たなばた』（福音館書店）

〈こどものとも〉傑作集
たなばた
君島久子 再話 初山 滋 画

もず

一羽のモズが案内する日本の秋の美しさ。初山氏の自刻自摺の版画がなんとも美しい一冊。受賞多数の名著。
『もず』（至光社）

絵本をアートにした画家

初山　滋

日本画のにじみやぼかしを効果的に使い、幻想的で繊細な独自の世界を作り上げた画家。流麗な線と大胆な色面で構成された画面の美しさが特徴です。1920年代から絵雑誌『コドモノクニ』、『子供之友』、児童文芸誌『おとぎの世界』などで活躍。いわさきちひろ氏などにも影響を与えました。『洋装感情の変化』（『婦人画報』口絵　昭和7年6月）

ききみみずきん
岩波の子どもの本

木下順二《きのしたじゅんじ》の民話に初山滋が絵をつけた美しい絵本。
『ききみみずきん』
（岩波の子どもの本）

おそばのくきは
なぜ　あかい

自由自在に操った線が、魔法のように物語を絵にしています。
『おそばのくきは
なぜあかい』
（岩波の子どもの本）

［プロフィール］

はつやま・しげる（1897～1973年）
狩野派の大和絵を学び、美人画の井川洗崖《いかわせんがい》の弟子になった後、童画・絵本の世界で才能を開花。江戸の美意識とモダニズムを共存させた独自の画風を確立。絵本は今も愛され続けている

おしゃれコラム 9
~美を描き続けた叙情画家たち~

多感な思春期の乙女を描く

加藤まさを

読者と等身大の、センチメンタルな女学生を描き絶大な人気を得ました。『花びら』(『少女の友』口絵　昭和8年4月)

昭和初期、少女ファンの圧倒的支持を集めた人気画家。高畠華宵がファッショナブルで活動的なお嬢様を描いたのに対して、まさをはオクテで夢見る乙女を好んで描き、人気を二分。まさをが好んで描いた、もの思いに沈み、思い悩む少女の姿は多くの女性の共感を呼びました。文才もあり、数多くの少女小説も書き、童謡『月の沙漠』の作詞者でもあります。

[プロフィール]
かとう・まさを(1897~1977年)
大正末期から昭和初期にかけての少女雑誌『少女の友』、『少女画報』に多くのさし絵、口絵を描き、叙情画家として名をなした。少女小説も執筆した

淡いパステルカラーの色合いもまさをの特徴。『春爛漫』(『少女倶楽部』口絵　昭和3年4月)

バラの柄の着物を多く描き、"バラのまさを"と呼ばれました。
『(仮題)もの思う秋』(出典不明　大正末期~昭和初期)

日常のスケッチ。『泣いたあと』(『少女画報』口絵　昭和7年2月)

かわいいルネワールド

おしゃれの心得

日本生まれのキャラクターやアニメーションが世界中で
高い評価を集めているのを見てもわかるように、
日本の「かわいい」文化は今や世界の驚嘆の的。
もともと、日本人はかわいいものを感じ取り、愛《め》で、
また作り出す能力に秀でているのです。
そしてその「かわいい」という美意識のカリスマが、
画家兼イラストレーターである内藤《ないとう》ルネさんです。

革命的にかわいい、ルネさんの作風

デザイン性が高く、色使いもポップ。それまでの感傷的な少女向けの叙情画と比べると、圧倒的に明るく、かわいい。とはいえ、竹久夢二《たけひさゆめじ》から中原淳一《なかはらじゅんいち》へと引き継がれた日本の美意識は、ルネさんの作品の中に息づいている

Rune Naito

現在、日本の美意識で最も世界に誇るべきは、「かわいい！」という感覚です。

小学生から女子高生に至るまで、ファンシーショップの店先など、若い女性たちが集まる場所では、「かわいい！」という言葉が飛び交っています。また、「ピカチュウ」などのキャラクターや『千と千尋の神隠し』、『ハウルの動く城』など宮崎駿《みやざきはやお》作品をはじめとするアニメーションが世界中で高い評価を集めているのを見てもわかるように、少女マンガや小物のデザインも含めて、日本の「かわいい」文化は今や世界の驚嘆の的。もともと、日本人はかわいいものを感じ取り、愛《め》で、また作り出す能力に秀でているのです。

そしてその「かわいい」という美意識のカリスマが、私の親しい友人でもある画家兼イラストレーター、内藤《ないとう》ルネさんなのです。

中原淳一《なかはらじゅんいち》さんのもとで花開いたルネさんの才能

内藤ルネさんはもともと美しいモノ、かわいいものが大好き。少年時代から愛読書は『それいゆ』で、中原淳一さんの大ファンだったそうです。

地方都市で仕立て職人になるために修業中だった10代の頃、自己流で描いた

内藤ルネ

ないとう・るね（1932年〜）
愛知県生まれ。1952年、中原淳一に呼ばれて上京し、ひまわり社に入社。『ジュニアそれいゆ』など少女雑誌各誌でイラストレーター、人形作家として活躍。60年代以降は、雑貨や文房具などキャラクター商品などで大成功を収めた

イラストを、中原さんに見てもらおうと何度か送りました。ところがなかなか返事がきません。ルネさんはとうとう最後の絵を送り、「もう描きません」とメッセージを添えました。するとそこで初めて、中原さんから返事がきたのだそうです。

「東京へ、いらっしゃい」

喜び勇んで上京し、中原さんの経営していた出版社「ひまわり社」で見習いになりました。そして必死で勉強して、『ひまわり』という雑誌にイラストを載せてもらえるようになったそうです。中原さんのすすめで人形作りも始め、小物の制作にも関わるようになりました。やがて1954年に中原淳一さんによって創刊された少女雑誌『ジュニアそれいゆ』で絶大な人気を得て、スター作家となったのです。

その後ルネさんはフリーランスとなり、人気はさらに高まりました。60年代、70年代はあらゆる雑誌に、内藤ルネというクレジットがあったように思います。雑誌の表

洋風インテリアと着物ファッションの幸せな融合

フランス人形のいる洋風の部屋の中で、水玉のモダンな着物に桃割れを結い、くしかんざし、リボンをつけた日本人形のような女の子。「こんなふうに、和洋のセンスを両立させて暮らすことができたら、楽しいでしょうね」

少女雑誌の表紙はルネさんの独壇場

『ジュニアそれいゆ』1960年9月号の表紙。表紙や口絵にルネさんの絵が載っていると売行きが倍増したという伝説も。少女がボーイフレンドと一緒にいる絵が多く、それも読者の少女たちに人気の理由のひとつだったが、男女交際に厳しかった当時は道徳上、“クラスメイトのお兄さんと”という弁解めいたキャプションが必要だったとか

紙や、片隅に「ルネ作」という文字の入ったイラストや付録が、日本中の少女の憧れとなりました。

イラストだけではありません。ルネさんは雑誌上で、次々と「かわいい！」を発信するようになったのです。

ブリキのおもちゃ、あきビンやあき缶を利用した小物作り、医療戸棚を白く塗ってインテリアに使うこと、日本人形、ビスクドール、陶器のお人形、ルネパンダなどなど……。ルネさんが「かわいい！」と発見し、それを読者に紹介したことからブームとなったものは、数知れません。

そのルネさんが一時音信不通になり、第一線から姿を消してしまった時期がありました。後から知ったのですが、詐欺《さぎ》にあって全財産をだまし取られ、さらに体調を崩してしまっていたのだとか。

幸い健康を取り戻し、コレクションしていた人形たちも人手に渡ることなく、2001年、ルネさんは伊豆に、念願の内藤ルネ館をオープンしました。ビスクドールや日本人形のみならず、ルネさんが世界中で見つけたかわいいものがすべて集められた、素敵な美術館です。さらに東京・弥生美術館で、『内藤ルネ展』が開催され、驚異的な入場者数を記録しました。

ルネ人形は少女たちの憧れの的

これは『少女』という雑誌の付録の表紙。付録の中身は小説やマンガだったが、内容に関係なく、表紙には大人気のルネさんの人形が使われた。『ジュニアそれいゆ』には人形の作り方を紹介するページがあり、読者に大人気だった

以来、初めて内藤ルネという作家の存在を知った若いファンからの要望もあり、さまざまな媒体から取材が殺到し、仕事のオファーが続き、内藤ルネのブームが再燃したのです。

ルネさん復活のニュースを聞いて、私は本当に安心しました。ルネさんは竹《たけ》久夢二《ひさゆめじ》、高畠華宵《たかばたけかしょう》、蕗谷虹児《ふきやこうじ》、中原淳一などと並ぶ、日本の暮らしに密着した美しさを生み出してくれる画家であり、日本の本物の美意識を若い人たちに伝えられる、最後の伝道師ではないかと考えているからです。

ルネさんは「かわいい教」の元祖

内藤ルネさんは40年以上も昔から、女子高生が口ぐせにするずうっと昔から、素敵なものや好きなものに遭遇するとあたりかまわず「かわいい！」を連発してきたのだそうです。「かわいい教の元祖」だと、自分でおっしゃっています。

かわいいものに対するアンテナ

ルネさんが描くと叙情画はこうなる

竹久夢二や中原淳一によって引き継がれてきた日本の叙情画を今、最後に引き継いでいる内藤ルネさん。モダン柄の着物にかわいいネコを抱いて。センチメンタルだけど、どこかユーモラス。この日本的美意識、大事にしたい

『内藤ルネ自伝すべてを失くして』

生い立ちから修業時代、絶頂期からどん底に、そして復活。波瀾万丈《はらんばんじょう》の人生をルネさんとパートナーである本間真夫《ほんままさお》氏がつづる。中原淳一をはじめ多くのアーティストとの交遊など、興味深いエピソードでいっぱい。ルネファン必読。（小学館）

は常に作動中で、パリで見つけたジュモーのビスクドール、東京の骨董屋で見つけた平田郷陽《ひらたごうよう》の日本人形、精巧なからくり人形などの優れた名品も、そうやって集めてきたのだとか。

伊豆の内藤ルネ館に展示されているのは、そんなルネさんが愛してやまない人形たちだけではありません。ブリキのおもちゃやピルケース、ブローチや口紅のケース、プラスチックの指輪に至るまで、おメガネにかなったものが同じようにディスプレイされています。

値段や見映えとは関係なく、すべてのかわいいものが、同じように大切にされている、素敵なルネワールドです。

「かわいい」を感じ取る才能を大切に

そしてルネさん自身の作品もまた、「かわいい」という形容詞がぴったりのものばかり。日本ならではの美意識を継承しながら彼の絵は、アメリカ風のシンプルさとフランス風の粋《いき》なセンスが絶妙に合体したルネスタイル。パステル画や油絵の感覚をベースに、こまやかなペンタッチとプレーンな色調で彩られています。その作品は、雑誌文化と見事に調和して、少女たちの「かわいい!」

という歓声を集めてきました。

こうしたルネワールドの魅力は、いくら日本人の得意分野とはいえ、心に余裕がなければ、存分に味わい、楽しむことはできません。

仕事に追われて疲れきった中年のオジサンや、自分しか眼中にない、自分しか好きになれない自己チュー女、忙しいふりをしていないと不安なビジネス人間たちには、ルネワールドの素晴らしさはきっと、感知できない代物《しろもの》。ルネさんの作品は、心に余裕があるかないかを見分ける、リトマス試験紙のようなものかもしれません。

小さなもの、弱いもの、いたいけなもの、無垢《むく》なもの、壊れやすいもの、愛らしいもの。こうしたものを「かわいい」と愛でる才能を、私たち日本人は失いたくないものです。その感性は平和を愛し、自由を愛する精神と、どこかでつながっているような気がするのです。

~「かわいい！」が大集合~

日本の「かわいい」を作り出した内藤ルネさんの作品は今もなお、愛され続け、人形やさまざまなキャラクターグッズとして甦《よみがえ》り、人気を集めています。その中のほんの一部を紹介しましょう。

ユーモラスでかわいい!

人形たち

雑誌に人形の作り方を掲載したり、人形作家としても活躍したルネさん。そのかわいさは今見てもとても新鮮です。

コレクションドール

ルネさんが雑誌に描いた少女たちを忠実に再現して作った人形のシリーズ。ヘアスタイル、洋服のデザイン、小物の細部に至るまでルネさんの美意識が感じられます。次々とシリーズで発売されています

ルネパンダ

ロンドンで見たパンダをデフォルメしてルネパンダが生まれたのが1971年。翌年、中国からパンダが来て、ルネパンダも大ブームに。しっぽは本当は白、でもうっかり黒にしてしまったそうです。右上はティーポットとカップのセット

レトロな人形

左は『不思議の国のアリス』、右は『アルプスの少女ハイジ』。手作り人形の復刻モデルです

陶器の人形

頭でっかち、そしてきれいな色にペイントされた陶器人形も人気。兵隊さん、おまわりさん、水平さんの貯金箱

黒ネコ

師である中原淳一さんもブローチ（25ページ参照）などのモティーフにした黒ネコ。デフォルメのしかたでこんなに変わります

動物キャラクター

つぶらな瞳とちょこっと出した舌がなんとも愛らしいプードルのぬいぐるみ。ウサギ、ブタ、サル、クマなど、多くの動物たちもキャラクターに

ファンシーグッズの原形

ルネグッズ

かつて少女雑誌の付録に引っぱりだこだったルネさんのキャラクターグッズ。今見ても新鮮で、不動の人気です！

ファンシーグッズの定番といえば文具。このペンケースの材質は紙。とても優しいぬくもり

便せん、封筒、シールがセットになったレターセット。手紙を書くのが楽しくなります

ブリキにプリントした灰皿。レトロな雰囲気で、インテリア小物としてもステキです

フォトアルバム。一枚一枚写真を入れるアナログな作業が、想い出作りの手助けになるはずです

1959年に出版された、ルネワールド満載の内藤ルネさん初の単行本の復刻版。『こんにちは！マドモアゼル』（河出書房新社）

ルネ流の生活提案や花暦とシールのセットです。『内藤ルネ　まるごとシールブックL』（小学館）

※商品の問い合わせ先は内藤ルネ館へ

ルネさんの愛したコレクションと作品

内藤ルネ館

『内藤ルネ館』は伊豆の修善寺の静かな街並みの中にあります。昔懐かしいセルロイド人形から貴重なビスクドールまで、ルネさんの愛した膨大な数のコレクション、さらにはルネさんが作った人形が並んでいます。人形を作り始めたのは中原淳一さんのアドバイスからだったとか。「最初に作ったのはオードリー・ヘプバーンのぬいぐるみ。見よう見まねで作っているうちに、だんだん覚えていきました」というルネさん。ゆっくり時間が流れるステキな空間。ショップも充実しています。◆静岡県伊豆市修善寺937 ☎0558・72・6000 入場無料 ■http://www.naitou-rune.jp

ほかではお目にかかれない価値ある人形たち

ルネさんのコレクションはとても価値のある作品ばかり。上のビスクドールもそのひとつ。左は19世紀を代表する人形作家ブリュー作、右も有名なジュモーの作品。ほかにも人間国宝が作った日本人形、今や目にすることもほとんどなくなったセルロイドの人形やブリキの人形、紙製の着せ替え人形などレトロな楽しさが満載です。またルネさんの昔の作品から2003年から再び始めたという新しいデザインもたくさん展示されています

天才アーティスト寺山修司

おしゃれの心得

現在、過去、未来が交錯し、クラシック音楽と
70年代のニューミュージックが、
欧米文化と青森の土着文化が同居する、
まるで万華鏡のような寺山修司《てらやましゅうじ》の不思議な世界。
どうぞ、そのまま味わってください。
まっさらな気持ちで接し、感じて、楽しむこと、
それが天才の仕事と向きあうコツです。

小さな恋の物語

恋を見たことある？
ない　恋人ならあるけど
恋はどんな形をしていると思う？
形なんかないよ
じゃあ　色は？
色もない
匂《にお》いは？
匂いもない
じゃ　おばけだね
そう　恋のまたの名はおばけだよ

ドアをあけて眠りましょう
あなたのおばけ
恋がそっと入ってきてくれますように

『寺山修司少女詩集』

若い女性たちが寺山修司を知る入口として、おすすめしたいのが、『寺山修司少女詩集』。「彼の詩はユーモアがあって可愛らしくてメルヘンティック。ですが甘い叙情性だけでなく、一滴の毒が必ずどこかに、秘められています」（角川文庫）

寺山修司という天才が日本に生きていたことを、知らない方が多いようです。没後22年を経た今、47年という短い生涯で彼が成し遂《と》げたことを、今、私の口から語っておくべきかもしれません。昭和10年、同じ年に生まれ、彼は青森で私は長崎。日本の端と端で生まれたふたりが真ん中の東京で知りあいました。彼は私がただならぬ縁を、感じる人なのです。

寺山さんは詩作のみならず小説を書いたり芝居を書いたり映画を撮ったり、幅広く活動しました。さらに競馬の予想、ボクシングや野球の評論、風俗リポートまで、融通《ゆうずう》無《む》碍《げ》にこなしました。純文学者という狭いフィールドに、閉じ込められるのが苦痛だったのでしょう。ですが日本では、マルチプレーヤーは尊敬されません。八面六臂《はちめんろっぴ》の活躍をした寺山さんのことを、いまだに日本のマスコミは、ただの外連味《けれんみ》の多いゲテモノ作家として扱っています。

ところが海外では、寺山さんは〝天才アーティスト〟。私がパリに行った時も、向こうで知りあった知識人、文化人、演劇人の間で寺山修司に対する評価があまりに高くて有名なことに、驚きました。彼らは寺山さんに、ちょうどジ※ャン・コクトーとかサルバドール・ダリに対するのと同等、もしくはそれ以上の敬意を払います。残念ながらこれが、民度の差というものでしょう。

寺山修司

てらやま・しゅうじ（1935〜1983年）
青森県生まれ。1954年早稲田大学に入学。闘病を経て57年第一作品集『われに5月を』を出版。以後多方面に活躍しながら、生涯で160冊以上の著作を残した。83年肝硬変のため死去

文字の代わりに役者を使って詩を書いた人

私と寺山さんのつきあいは、1967年、彼が演劇実験室『天井桟敷《てんじょうさじき》』※を旗揚げした時のこと。「あなたのイメージで芝居を書いたから」と、台本を渡されたのです。当時彼は、日本のアングラ（アンダーグラウンドシアター運動）の最先端に立ち、新しい演劇を目指していました。

私はその頃、『ヨイトマケの唄』で日本初のシンガーソングライターとして復活を果たし、ようやくまっとうなアーティストとして世間に認知されたところでした。旧来の、大げさで型にはまった芝居にうんざりしていたところだったので、彼の台本を読んで「これだ！」と思い、喜んで参加を決めました。ところが私のマネージャーをはじめ周囲の人間はみな、「そんなわけもわからない芝居に出るのは危険だ、やめたほうがいい」と言うのです。

ですが私は怯《ひる》みませんでした。失敗したらまた一から始めればいい、そんな覚悟で『青森県のせむし男』に、そして次作『毛皮のマリー』に主演したのです。結果は、大成功！ どちらの芝居も大入り満員で、入れなかった観客が二重三重に会場を取り巻いて帰ろうとせず、しかたないので急遽《きゅうきょ》深夜12時から追

ジャン・コクトー※
（1889～1963年）プルーストをはじめ、多くの芸術家と親交が深く、詩、絵画、小説、批評、シナリオ、バレエ、映画などマルチに才能を発揮した総合芸術家。1945年の映画『美女と野獣』をルネ・クレマンと共同監督

天井桟敷※
寺山修司が1967年横尾忠則《よこおただのり》、東由多加《ひがしゆたか》、九条映子《くじょうえいこ》らと設立したアングラ劇団で、正式名は演劇実験室『天井桟敷』。69年には渋谷に天井桟敷館をオープン、東京のはとバスコースにも組み込まれていたという

加上演したこともあったほど。その後何度も再演され、欧米各地での公演も、大成功を収めました。

映像作家としての才能も見過ごせません。代表作の『書を捨てよ町へ出よう』や『田園に死す』は、今に至るまで何度となく上映されています。

彼は、舞台の上やスクリーンの中で、詩を書こうとしていたのです。文字の代わりに私たち役者を使って、さまざまな詩を書こうとしていたのでした。

こんな会話を交わしたことを覚えています。私は彼に言いました。

「詩というのは、文字だけでイメージを伝えなくてはならない。だからどうしても、相手のボキャブラリーや想像力とか過去の人生経験に頼らざるをえない。あなたはそれが信じられなくなった、いやになったのね。だからあなたの頭の中の本当のイメージはこうなんだと、明確に表現したくなったのでしょう？だったら手伝うわ」

すると彼は、困った顔をしてこう言ったのです。

「あなたは何もかも見抜いてしまう。コワイ人ですねぇ」

『毛皮のマリー』

日本の前衛演劇（アングラ）は寺山修司から始まった。1967年、寺山修司が美輪明宏のために書き下ろした物語。フランクフルト、ニューヨーク、パリ、ミュンヘンでも公演し、絶賛された。これは初演時のポスター。（横尾忠則作）

スクリーンの裏側で成長した作家

寺山さんの表現のもととなるモティーフは、第二次世界大戦前のフランス映画やドイツ映画、戦後流入してきたアメリカ映画にロシア映画、さらには地方巡業の新劇、剣劇に至る何から何まで。それというのも、寺山さんが育ったのは、親せきが経営していた青森県の映画館の中。スクリーンの裏側にある小部屋を勉強部屋にあてがわれていたというのです。

ですから彼は、映画や演劇を観客として観ただけでなく、スクリーンの裏側からそれを観る観客たちをも、観察していました。仲のいいアベックやひとり者、借金取りに追われて劇場に逃げ込んだ人もいれば、ただひたすら映画にのめり込む人もいる。またとない人間観察の場でした。

さらにその映画館は、ときには地方巡業の劇団が公演する芝居小屋にもなりました。舞台裏で煮炊きをし、子供を育てながら興行する役者たちの風景もまた、心の奥にしみ着いて、後の創作活動のヒントになりました。

そのうえさらに、彼の読書量はものすごいものでした。読んでいない本は世界中にないと思われるほど、古今東西ありとあらゆる書物を、読みあさっていました。名言や箴言《しんげん》、さまざまな言葉や映像やイメージが、無尽蔵に頭の中に埋蔵されていました。そして彼が何かを表現しようとする時、そのストックの中から霊感のように何かがふつふつと沸き上がって、素晴らしい作品へと昇華したのです。ときに、盗作とも取られかねない、従来の芸術作品の片鱗《へんりん》が彼の作品の中から見つかるのは、そういうわけなのです。

そんな万華鏡のような寺山修司の世界は、知らない人にとっては取っつきにくいものかもしれません。

現在、過去、未来が交錯し、クラシック音楽と70年代のニューミュージックが、欧米文化と青森の土着文化が同居する、不思議な世界です。ですがどうぞ、そのまま味わってください。かつてジャン・コクトーが「私の作品を分析しないでください」と言ったように、寺山さんの作品も、分析されたり批評されることを好みません。

まっさらな気持ちで接し、感じて、楽しむこと。滑稽で哀しくて、面白くてほっとする、その楽しさが肌で感じられれば、それでいいのです。

それが天才の仕事と向きあうコツです。

おしゃれコラム 11 ～寺山修司の迷宮へ～

「職業は寺山修司」と答えていたくらい、多種多様な場で自分を表現しようとしていた寺山修司。ここでは舞台、映画、本という切り口で彼の業績を紹介してみましょう。

STAGE

日本のアングラ第一号
『青森県のせむし男』

寺山修司氏主宰の演劇実験室『天井桟敷』の旗揚げ公演を飾った作品。美輪明宏をイメージして書き上げ、事後、主演を依頼したいきさつも。1967年の初演以来人気沸騰し、いく度も再演を

出演者はすべて男だけ
『毛皮のマリー』

続けて美輪明宏を主役に書き上げた脚本。新宿アートシアターで公演し、入れなかった客が帰らないので深夜12時から追加公演をした伝説の舞台。2001年には美輪演出で再演。ビデオは83年収録版

寺山修司最後の舞台
『レミング−壁抜け男』

寺山氏が亡くなったのが1983年5月4日。本作は5月14日に公演の幕を開けた。今年発売されたDVD『レミング−壁抜け男』には寺山修司の最後のロングインタビューが収録されています

※『青森県～』、『毛皮の～』のビデオは美輪明宏音楽会、舞台公演会場、TERA YAMA LAND（http://www.famousdoor.co.jp/terayama）で購入できます

MOVIE

時計を埋める場面から始まる叙情詩

『さらば箱舟』

ガルシア・マルケスの『百年の孤独』を下敷きに、ある一家の100年にわたる興亡を描いた作品。公開直前に寺山氏は死去

迷路のような自伝的作品

『田園に死す』

同名の歌集をもとにオリジナル脚本を書き下ろした自伝的色彩の強い作品。カンヌ映画祭に出品し、話題を呼びました

寺山修司の長編映画デビュー作

『書を捨てよ町へ出よう』

同名のエッセイ集を原作に、ドキュメンタリーミュージカルとして『天井桟敷』が公演していた舞台を映画化したもの

●すべてジェネオン　エンタテインメント

BOOK

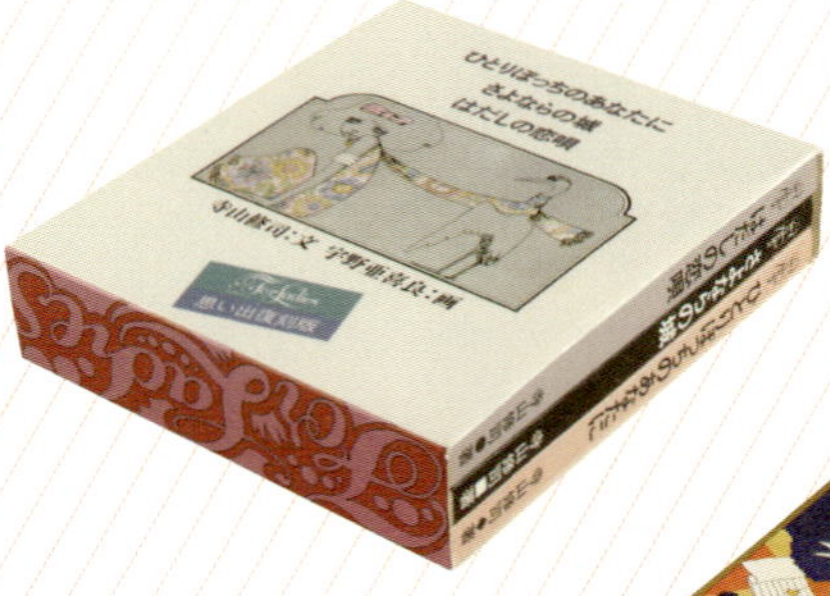

若い女性に語りかけたものは……

『ひとりぼっちのあなたに』『さよならの城』『はだしの恋唄』

初版は1965年。寺山修司が女性のために書いた詩やエッセイで人気を博した“For ladies”シリーズの復刻版。優しい気持ちになれます。(新書館)

ほしかったのは、このひと言だった

『寺山修司名言集』

膨大な量の文章を遺《のこ》した寺山修司。その中からきらきらと光る名文を拾い集めてまとめたのがこの一冊。心にしみる言葉が必ず見つかります。(PARCO出版)

まさに寺山修司の"迷宮"

寺山修司記念館

柱時計をイメージした外観。展示物を机の引出しに詰め込んで来訪者が引出しを開けながら寺山を探していくというユニークなスタイル。壁にはポスターが貼られ、さらに大道具やオブジェを飾り『天井桟敷』の舞台や寺山映画の世界を再現しています。◆青森県三沢市大字三沢字淋代平116の2955　☎0176・59・3434

幅広いジャンルで活躍した寺山修司の顔が見える

選んで座る机、見る角度、心の開き方によって見えてくるものがまるで違う、寺山ワールド。幼年時代の想い出から創作活動、舞台、映像、ボクシングや競馬評論家など、ありとあらゆるジャンルで活躍した寺山氏の顔が、万華鏡のように見えてきます。ゆっくりと時間をかけて鑑賞したい空間です。開館は平成9年7月

フジ子・ヘミングの音色

おしゃれの心得

過酷な人生を乗り越えてきた
フジ子さんだからこそ、あの深い音色を
生み出すことができるのです。
数々の不幸の中でも、いつか幸せになりたい、
と願い続けた思いの強さが、音にこめられています。
“やはり人生は素晴らしい”
と思わせてくれる、強く明るい音色なのです。

私のピアノの響きを聴いて
涙を流してくれる人がいる。
心のきれいな人は
みんな感激してくれるの。
私のピアノを聴いて
自殺を思いとどまったとか、
心の病から救われたとか、
いろんな手紙がくるけれど、
そういう人はみんな心のきれいな人よ。
そういう人たちに、
私のピアノを聴いてもらえれば
それでいいの。

（『フジ子・ヘミングの「魂のことば」』より）

私の自宅の客間には、いつもフジ子・ヘミングさんの演奏曲が流れています。彼女が奏でるピアノの音は、優雅で上品で、情感がこもっていて心を甘く揺さぶる、至福の音です。そしてその音に身を任せていると、人類の美意識が最も発達した頃、アールヌーボーからアールデコにかけてのあの時代の空気が、じんわりと心の奥に、伝わってくるのです。

いちばん最初にフジ子さんの演奏を聴いた時、私は、大好きだった※ルビンシュタインという演奏家を思い出しました。ルビンシュタインは情感あふれる素晴らしい演奏をした方で、20世紀を代表する音楽家です。楽譜にばかりこだわる、テクニック至上主義を何よりも毛嫌いしたことで有名でした。

こんな話があります。ある晩のこと、いつものように彼はコンサートで、聴衆を魅了する素晴らしい演奏をしました。ところが彼の演奏が終わった後で掃除のおばさんがステージ上を掃除すると、バケツいっぱいの音符が落ちていたというのです。弾き損ない、弾きこぼした音符がそんなに多かったにもかかわらず、彼の演奏は素晴らしかったという、なんとも面白い伝説です。演奏会に来ても、重箱の隅をほじくるようにミスタッチばかりを挙げつらって偉そうな顔をしている評論家たちには、この伝説の真意が伝わらないのかもしれません。

※**アルトゥール・ルビンシュタイン**
（1886〜1982年）
ポーランド生まれの天才ピアニスト。13歳でプロデビュー。1976年に視力の問題で引退を表明した。イスラエルでは彼の偉業を称えて名を冠したピアノコンクールを開いている

音楽というのは、正確さだけを競うような代物《しろもの》ではありません。その人が生きてきた時代、暮らしてきた空間、愛したもの、愛されたもの、流した涙や苦しんだ痛みのすべてが、指を伝わって音となり、聴いている私たちの心に響いてくるのです。

デビュー直前、聴覚を失うというアクシデント

とりわけフジ子さんの音楽には、彼女の人生が色濃く反映されているように思います。異国人の父親は彼女が幼い時に家を後にしました。ピアニストだった母親に厳しくピアノを仕込まれ、早くから才能を発揮していたにもかかわらず、下手だ下手だとしかられて、決してほめてはもらえなかったとか。そして16歳の頃、病気で片耳が聞こえなくなってしまいました。

東京音楽学校（現・東京芸術大学）を卒業してもピアニストの職はなく、留学を志しても国籍問題からなかなか実現せず、ヨーロッパに渡ったのは30歳になってから。日本からの送金は少なく、極貧を味わったといいます。

留学生仲間の妬《ねた》みやそねみもひどかったとか。約10年後、千載一遇《せんざいいちぐう》のチャンスをつかみ、デビューリサイタルを開催するところまでこぎつけたのですが、

練習中に高熱を発し、今度は聴覚を一切失うというトラブルに見舞われます。まったく音が聞こえないまま演奏した結果、リサイタルは失敗。それ以後、治療してある程度まで聴覚を回復し、ドイツでピアノ教師の職につき、時折小規模の演奏会を開きながら、細々と暮らしてきました。

１９９５年、母親の死をきっかけに、何十年ぶりに日本に帰国。母校の講堂や自宅でこぢんまりとしたコンサートを開き、それをたまたま聴いた人たちのクチコミによって、その演奏の見事さは徐々に広がっていきました。そんな彼女の波瀾《はらん》の人生を、ＮＨＫがドキュメンタリー番組に取り上げたのです。

番組の中、要所要所に流れるフジ子さんの演奏は、テレビを観ていた人たちの度肝を抜きました。こんなクラシックは初めて聴いた、どこに行けばＣＤを買えるのかと、全国から問い合わせが殺到したといいます。

その番組は何度も何度も放映され、そのつどフジ子さんのファンは飛躍的に増えていきました。それまでクラシックなんて聴いたこともなかった人たちが、フジ子さんの演奏を聴いて涙を流し、すぐにＣＤを買って繰り返し繰り返し聴くようになるのだとか。フジ子さんの音色は、そんな人たちの心の奥底にまで届くのでしょう。

『フジコ～あるピアニストの軌跡～』

人気がブレイクするきっかけとなった99年放送のNHKのドキュメンタリー番組のDVD。放送されるや反響すさまじく、何度も再放送された。波瀾にみちた生涯とピアノへの真摯《しんし》なまなざし、背景に流れるフジ子さんのピアノが大きな感動を呼んだ。（ビクター　エンタテインメント）

妬まれ、イジメにあい、留学先でお金もなく孤独で、ピアニストでありながら聴覚を失うという過酷な人生。母との葛藤《かっとう》、自分に冷たい人間ばかりいる故郷への、複雑な思い。それを乗り越えてきたフジ子さんだからこそ、あの深い音色を生み出すことができるのです。そうした不幸の中で、いつか幸せになりたい、と願い続けた思いの強さが、音にこめられています。〝やはり人生は素晴らしい〟と思わせてくれる、強く明るい音色なのです。

さらにその音色には、彼女が愛するものたちの輝きも秘められています。

第一次世界大戦前のベルリンの街の、退廃と爛熟《らんじゅく》の美。グレタ・ガルボやマレーネ・ディートリヒの妖艶《ようえん》な美しさ。アルフォンス・ミュシャ、ギュスターヴ・モロー、スーラの絵。上等なレース、アンティークのお人形、磨き込まれた家具と、色あせたドライフラワー……。

人々がフジ子さんの演奏から感じ取っているのは、そうした美しいモノたちから抽出されたロマンティシズムです。合理性、利便性、経済効率ばかり追ってなんの潤いもない世の中に、フジ子さんのピアノの音はまるで慈悲の涙のように温かく降り注ぎ、人々の乾いた心にしみ込んでいくのです。

おしゃれコラム 12

~心を揺さぶる フジ子の音、言葉~

CD

いつでもフジ子ワールドに浸れる、
おすすめのCDを紹介します。

私の客間にはいつも、フジ子・ヘミングさんのピアノ演奏がBGMとして流れています。情感のこもった音色は空気までも美しくする、大切なもうひとつのインテリアなのです。

「憂愁のノクターン」

リストの『ラ・カンパネラ』、ショパンの『ノクターン』、ドビュッシーの『月の光』など、幻想的な曲を集めた入門書的アルバム。（ビクター　エンタテインメント）

「奇蹟のカンパネラ」

フジ子さんの情感のこもった音色にぴったりの名曲を集めたアルバム。とりわけ、リストの『ラ・カンパネラ』は圧巻です。（ビクター　エンタテインメント）

「ショパン・リサイタル」

かつて“ショパンを弾きこなす日本人が現れた！”と欧米の新聞に書き立てられたフジ子さん。“魂で奏でている”一枚。（ユニバーサルミュージック）

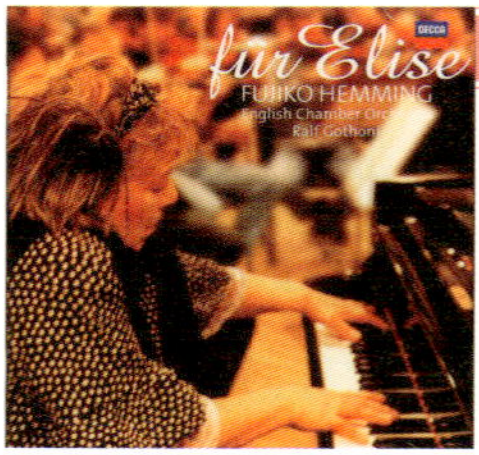

「エリーゼ」

『エリーゼのために』をはじめ、モーツァルト、ベートーベン、リスト、ドビュッシーと名匠《めいしょう》たちの曲を網羅した一枚。（ユニバーサルミュージック）

「雨だれ」

ショパンの『雨だれ』、ラヴェルの『亡き王女のためのパヴァーヌ』など、聴きやすい曲ばかり。定番の一枚としておすすめ。（ユニバーサルミュージック）

「フジ子・ヘミング 運命の力」

人生、家族、恋愛をテーマに語るエッセイ集。添えられたイラストや写真の数々がゆかしい。（阪急コミュニケーションズ）

「フジ子・ヘミング 魂のピアニスト」

波瀾に満ちた生涯を自ら振り返った自伝。正直に、ありのままを語る言葉には音色と同じ輝きが秘められています。（求龍堂）

「フジ子・ヘミング 我が心のパリ」

パリにアパルトマンを持っているフジ子さん。パリでの暮らしを中心に書いたエッセイ集。（阪急コミュニケーションズ）

「フジ子・ヘミングの「魂のことば」」

1ページに数行ずつ、人生について語る言葉が。彼女の演奏と同様に、生きる勇気を読む人に与えてくれます。（清流出版）

BOOK

フジ子さんの本にある言葉には、圧倒的な説得力があります。

「FUJIKO HEMMING Esprit de Paris」

ヨーロッパでの彼女を密着取材し、その生活を撮った写真とエッセイの本。ロングインタビューを収録した貴重なCDもついています。（主婦と生活社）

おしゃれ対談

フジ子・ヘミング×美輪明宏

他人と同じ人生なんて面白くない

美輪　ようこそおいでくださいました。私はいつも自宅で、フジ子さんのＣＤを聴いているんですよ。

フジ子　ああ、そうですか。それはありがとう。

美輪　最近は、パリにお住まいなんですってね？

フジ子　ええ、パリと東京と半半で暮らすようになりました。

美輪　パリのお住まいはどのあたりですか？

フジ子　モンマルトルです。

美輪　素敵ですね。あのへんは昔の、古きよき時代のパリが残っていますものね。

フジ子　私は絵描きが好きで、あのへんは絵描きがいっぱいいるから好きなんです。しかもほうぼうに看板があって、ピカソが何年にここに住んでいたとか、モディリアーニがここにいたとか。私の家の下にも坂道があって、ああ、ここをモディリアーニが歩いたかもしれないと思うと、年中うれしいのね（笑）。

美輪　ピカソやジョルジュ・ブラックが一緒に住んでいたアトリエ『洗濯船』※なんかもありましたね。

フジ子　私が年柄年中食べているレストランは、小さなブタ小屋みたいなところなんだけど、ユトリロのアトリエだったっていうんです。まだ有名にならない頃住んでいたらしいの。

美輪　しょっちゅう行ったり来たりなさっているの？

フジ子　冬になるとパリはどんよりしちゃうから、日本のほうがいいんです。東京みたいに冬でも天気がよくて太陽が当たると、イタリアにいるのと同じで希望がわいてくるわ。でもパリは暮らしやすいですよ、フランス人は他人に干渉しないから。

美輪　そうそう。他人は他人、自分は自分。個人の、個性というものをすごく大事にしますよね。

フジ子　そこが好きなんです。

美輪　パリではそんなに美男美女でなくても、個性的な人はすごくモテます。人と違うという

洗濯船※
パリのモンマルトルの丘に建つ細長い建物で、アトリエ兼、安アパート。ルノアール、ユトリロ、ゴッホ、モディリアーニ、ピカソ、シャガール、ダリ、その他異国の画家たちが集い、数多くの作品を残した場所だ。1970年に焼失後、再建された

ことは素晴らしいことなんですね。卓越した個性や才能のある人間は、"珍しい小鳥"と呼ばれて、大事にされるんです。私もパリに行くとものすごく楽に息ができるんですよ。

フジ子　そう、それに驚くのは、私が夜11時くらいまで部屋でピアノを弾いていても、誰も文句を言ってこないんです。上の部屋に住んでいる人も、下の部屋の人も。

美輪　聞き惚《ほ》れているんでしょう、みんな。タクシーに乗っても、運転手はすごく愛想が悪いのに、私が鼻歌でシャンソンを歌うと「あなたは歌手ですか？」って聞くんです。そうだって答えると、手のひらを返したように急に親切になりますね。向こうは芸術家っていうと、人種も階級も超えられるし、醜いとか美しいも関係なくなってしまう。芸術家がすごく大切にされる街なんですね。

「20代を思い出すとぞっとします」（フジ子）

フジ子さんはベルリン生まれ。日本人ピアニスト、大月《おおつき》投網子《とあこ》さんとロシア系スウェーデン人の建築家、ジョスタ・ジョルジ・ヘミングさんの間に生まれた。5歳の時に両親と日本に帰国したが、父親は第二次世界大戦勃発前に日本を去った。6歳から母親にピアノを教わり、小学校3年生の時にラジオで生演奏をして天才少女と騒がれた。16歳の時、中耳炎から右耳の聴力を失うが、東京音楽学校（現・東京芸術大学）に進学した。

フジ子　私の20代は悲惨でした。たいていの人は若い頃を懐かしむけれど、私はとんでもない、20代の頃を思い出すとぞっとします。当時住んでいたのは渋谷で、近所をよく歩き回っていました。表参道なんか花屋とそば屋があるだけで、夜、犬を連れて歩いていると樹木の香りがすごくて、通行人なんて5人も歩いていれば多いほうだった(笑)。でもそうやって一晩中歩き回ったりしていると男の人が声をかけてくるでしょ？　私はひとりでいたいほうなんだけど、話しかけられるといやだって言えな

20代の頃、表参道にて

父親はスウェーデン人。手続きミスで18歳から無国籍となり、留学もなかなか実現しなかった。しかし世界的ピアニスト、サムソン・フランソワが当時、日比谷公会堂で偶然彼女の演奏を聴き、ショパンとリストの演奏を絶賛したという

い性質なんですよ。かわいそうに思って話し相手になってあげるものだから、変に誤解されちゃって、評判悪くなってしまって。

美輪　日本では人と違う、珍しい小鳥はいじめられるんですよ。

フジ子　そう。留学してからもベルリンやウィーンで村八分にされました、日本人から。理由はわからないんです。何も悪いことをしていないのに、なぜそういう目にあうのか。きのうも、ある人から言われたんですよ。その人も私と同じ時期にウィーンに留学していて、どこかの音楽学校で私が練習しているのを聴いて、すごいピアノだとびっくりしたんですって。ところが友達から、あの人はいろいろある人だから近づかないほうがいいと言われて、話しかけるのをやめてしまったんだって。今になってそんな自分がすごく恥ずかしいって。

美輪　それは恥ずかしいでしょうね。当然ね。

フジ子　私のピアノの先生も、世界的に有名な人だったんですけど、「お前のピアノは素晴らしいけれど、もうそんなのははやりじゃない」って言ったの、私に。でもだからといって今風に変えるわけにはいかないから、私としてはね。でもその言葉が長いこと頭を離れなかった……。今思えば、彼は嫉妬《しっと》していたのかもしれませんけれど。

美輪　そういうことはよくありますね。クラシック音楽でも邦楽でも絵画の世界でも、一門を率いる人は自分よりも実力が上の人が出てくると、猛烈な勢いで嫉妬してつぶそうとかかるんです。

フジ子　嫌い、そういうのは。だって、人と同じだったら、芸術家である価値がないわよね。

美輪　ホントにね（笑）。

フジ子　人と違うからいいのでしょう？　ちょうどその頃、カナダ人でグレン・グールドというピアニストが出てきて、バッハをまるでバロック芸術みたいにゆっくりと、壮麗《そうれい》に弾くのをテレビで観たんです。それを観て私、「これだ！」と思った。

留学時代、男友達と

「ヨーロッパで暮らしていた頃は孤独のあまり、幸せになりたいと強く望んで、恋することに一生懸命だった」と、フジ子さん。とんでもないエゴイストに振り回されたり、恋い焦がれた相手がゲイだったり。「失恋がピアノの音を磨いてくれたわ」

そうだ、どんな曲でも自分なりに弾けばいいんだって、水を得た魚みたいに勇気が出たんです。ファッションだってそうね。人と同じじゃ、面白くないじゃない？

「フジ子さんは日本の芸術復興、ルネサンス」（美輪）

30歳でベルリンに留学。わずかな仕送りだけが頼りの、貧しい生活が続いた。10年目、ようやく実力が認められてリサイタルが決まるが、その1週間前、悲劇に見舞われる。暖房もない部屋で猛練習するうちに風邪をひき、高熱で、残る左耳の聴力を失ったのだ。将来への夢は絶たれた。公演は失敗し、2年後、治療によって40パーセントの聴力を取り戻してからはピアノ教師の資格を取り、ドイツの地方都市で暮らし始めた。95年、帰国。母校の講堂でミニコンサートを開いた。クチコミで評判を呼び、NHKが取材、フジ子さんの人生を追う形で1時間のドキュメンタリー番組を作った。

フジ子　あれが放映されても、私はこれで有名になれるとは思えなかった。でもすぐにNHKの人からすごい反響だって言われて、そうなのか、と思った。日本人も捨てたもんじゃないなって（笑）。

美輪　それまで日本のピアニストといえば、ミスしないで楽譜どおりに弾こうとする、機械みたいな人ばかりだったから、クラシックはつまらないと言われて、CDも売れなかったんです。そこにフジ子さんが出てらして、大ブームになったわけです、突如として。だからフジ子さんは日本の芸術復興、ルネサンスなんです。そしてそういうロマンティシズムを求めている聴き手が、実は日本にはたくさんいたということ。レコード会社が気がつかなかっただけで、大衆はフジ子さんみたいなリリカルな演奏に飢えていたんですね。

撮影のため、フジ子さんにピアノの前に座っていただいた。フジ子さんは美輪さんに話しかけるように、シャンソンを弾きだした。美輪さんが答えるように歌いだす。『枯葉』、『聞かせ

聴いてくれる人がいれば、幸せだった

1973年、聴覚が少し回復した頃の、ドイツでのリサイタル。「お金なんてなかったから、ステージ衣装は自分で作っていた。食べていくのがやっとで、生活は厳しかったけれど、ピアノをやめようと思ったことは一度もなかった」

てよ愛の歌を』、『スミレの花咲く頃』……。磨き抜かれたピアノの音と情感のこもった歌声が、ふたりの魂のように絡《から》まりあった。

美輪　ああ楽しい！　私たち、同じジェネレーションだから曲の好みも一緒ね！

フジ子　本当にね。私は絵や何かは、１９２０年代までが好きなんです。

美輪　私もその時代が大好き、同じですよ（手を差しのべて握手を交わす）。音楽も美術もそれから建物もファッションも、あの頃がいちばん美しかった。人類の美学のクライマックスだったと思うんです。

フジ子　最高、最高よね！

美輪　私は、あの時代のエッセンスと同じものを、フジ子さんのピアノの音色の中に感じるんです。あの時代の女優たち、あの時代の映画の中にある空気と同じ薫りが、フジ子さんの奏でるピアノの音色から立ちのぼってくるんです。それに、ご自身からもね。今日も素敵なお洋服をお召しだし、お化粧もね、ラメをちりばめてらっしゃるでしょう？

フジ子　今日はあなたにお目にかかれる日だからきれいにしなくちゃと思って、美容師に特別に頼んで、やってもらったの。

美輪　とてもお似合いですよ。フジ子さんがお描きになる絵も、素敵ですよね。竹久夢二《たけひさゆめじ》、お好きでしょう？　どこか似ていますよね、絵のタッチが。

フジ子　本当にね。私も夢二が大好きだから、きっと似てしまうんですね。

「恋人を思い描いて弾いてらっしゃるの？」（美輪）

美輪　ところでフジ子さん、ピアノを弾く時、頭の中にいろんな思いとか幻想が絵のように浮かんできて、それを表現なさるってこと、ありますか？

フジ子　ええ、いつもそうです。

美輪　たとえばショパンだったらこういうもの、というように、いつも決まったイメージが出てくるんですか？

人生も音色もドラマティック！

左は1970年代のスウェーデンの新聞。これ以前の68年、ドイツの新聞で「リストとショパンを弾くために生まれてきた」と、最高の賛辞を贈られたことも。右はフジ子さんの波瀾万丈《はらんばんじょう》の人生を紹介する99年の『デイリーヨミウリ』

フジ子　いえ、そのたびに違うの。

美輪　昔の恋人とか、そういうものもよぎります？

フジ子　まあね、でもそれほど素敵な男はいなかった。私に近づいてくる男は不良が多くて、ひどい目にあってばかり（笑）。その時は夢中でも、後から思い出したくもないようなヤツが多かったから。

美輪　じゃあ、たとえばリストの『愛の夢』を弾く時は？

フジ子　そういう時は、リストとかショパンとかモディリアーニとか、そういう人たちの恋愛を思い浮かべて弾くんです。私、伝記を読むのが大好きだから、他人の恋物語で間にあわせているの（笑）。

美輪　本がお好きなんですね。

フジ子　映画も大好きなんです。特に昔のフランス映画ね。『巴《パ》里《リ》の屋根の下』とか『巴里祭』とか、好きだったわ。若い頃、いつも新宿で観てました。

美輪　ああ、新宿の伊勢丹の向かい側にあった日活名画座でしょ？　フランス映画とかロシア映画ばかりやっていた。

フジ子　そうそう！　5階にあって、それでお手洗いに行くと窓があって、そこから見ると屋根が連なっていて、新宿の街がまるでパリのように見えたの。

美輪　私、終戦後のあの頃、新宿の西口でホームレスをやっていたんですよ。

フジ子　ホームレス⁉

美輪　そう、その頃お会いしてるかもしれませんね（笑）。

フジ子　私はずっと日本にいなかったから、美輪さんのことは95年に帰ってきてから知ったんですけど、本当にオリジナルな方（笑）。素晴らしい、世界にふたりといない方ですね。

美輪　フジ子さん、今はお幸せ？　今までさんざんご苦労なさって、やっと実力が認められたわけでしょう？　今までの不幸が積もりに積もって、それが一気に逆転して今、大変なプラスに転じていますよね。日本だけじゃなくヨーロッパやアメリカでも何千人という聴衆がフジ子さんを

絵を描くことで試練を乗り越えた

耳がまったく聞こえなかった2年間、絵を描き続けた。母方の叔母も父親も画家、絵心はかなりのもの。このバレエのイラストはフジ子さん自身最も気に入っているもの。作品の中にはCDのジャケットに使われているものも

フジ子さんとの夢の共演

撮影のため、ピアノの前に座っていただいたところ、フジ子さんが曲を弾き始めた。『枯葉』、『聞かせてよ愛の歌を』、『スミレの花咲く頃』……。磨き抜かれたピアノの音と情感のこもった声が、瞬時に溶けあった"魂"のセッション！

待っていて、「ブラボー！」って言ってくれるわけでしょう？　人生って最後にはちゃんと帳尻が合うようにできているとお思いにならない？

フジ子　ええ、思います。雨降って地固まるというか、悪いことをやったヤツには悪い人生しか待っていませんものね。でも自分では私、全然満足していない。もっともっといい演奏をしたいんです。

美輪　（深くうなずく）

フジ子　それに今、世界中の子供たちの80パーセントが飢えていると聞いただけで、ぞっとしちゃう。物乞いをしている子供たちのことを考えると……。

美輪　わかります。同感です。

フジ子　たしかに人間にとって、ルックスをきれいにしたり、おしゃれしていいものを買ったりすることは大事なことです。でも同時に世の中にはすごい悲劇があるということも、どうしても見逃せないんですね。だから私は、ひとりで幸せに酔うということができない。みんなが思っているほど幸せではないんですよ。それに人生って短すぎます。少し賢くなったと思ったら、もう年取っているんだから（笑）。

美輪　今日は素敵なお話を、ありがとうございました。またお目にかかれる日を楽しみにしています。ごきげんよう。

インテリアもフジ子スタイル

東京・下北沢にあるご自宅。一客ずつ違う椅子、世界各国のアンティーク、明治時代の絵などフジ子さんが大好きなものが渾然一体《こんぜんいったい》となった素敵な空間だ。野良猫や飼い猫が入り込んで、夜な夜なフジ子さんの演奏に聴き惚れているとか

バロンと呼ばれた男

おしゃれの心得

物欲、権力欲に毒され、品性のかけらもない
人間ばかりになってしまった今の日本。
でもかつて、とびっきりの紳士がいました。
薩摩《さつま》治郎八《じろはち》さん。バロン（男爵）と呼ばれ、
パリで600億円の財産を使い果たしたという
スケールの大きな人生を歩んだ男。
彼こそ本当の意味で、豊かな人でした。

とびっきりの紳士・薩摩治郎八

さつま・じろはち（1901～1976年）大富豪の家に生まれ、18歳で渡英。2年後パリに移り、第二次世界大戦前のベルエポック時代、潤沢《じゅんたく》な小遣いを使い、社交界の名士となった。やがて実家が倒産、第二次世界大戦後、無一文で帰国した

日本にもこんなにリッチでゴージャスな男性がいたことを、あなたはご存じでしょうか？

第二次世界大戦前のパリで最も有名だった日本人であり、パリっ子たちから敬意をこめて〝バロン（男爵）・サツマ〟と呼ばれ愛された、薩摩治郎八《さつまじろはち》さんのことです。

私が最初に薩摩治郎八さんと会ったのは、戦後、『銀巴里《ぎんぱり》』に出演していた頃のこと。新聞のコラムに私のことを書くために、新聞記者と一緒に現れたのでした。「ルイ王朝のお小姓《こしょう》のようだ」、「素晴らしい美少年だ」と、あちらこちらに好意的な記事を書いてくださった後で、彼はこう言いました。

「鈍重《どんじゅう》な日本に、キミみたいな人がいるなんて！　僕はパリで全財産を使い果たして、せいせいしてなんの悔いもないけれど、キミを知った時に、キミの歌を聴いた時に初めて『しまった！』と思ったよ。僕はパリで数多くのアーティストを見てきたからわかるんだが、キミは金をかければかけるほど世界的な素晴らしいアーティストになる。僕の目に狂いはない。世紀に残る芸術家なんだから、絶対に後援すべきだ。だけど残念ながら、今の僕は一文無しで、かみさんに食わせてもらっている身の上だ。何もできない。いや、はなはだ申し訳な

無一文でも人生を楽しんだ晩年

1951年（昭和26年）に帰国後は、浅草で踊り子をしていた利子《としこ》さんと再婚。文筆業で自活の道を探った。写真の中央が本人。美輪さん（写真左）との交遊はその頃始まった。66年フランス政府から勲章を授与された。76年、死去

い。実に残念だ」
なるほど、その人生を知れば知るほど、これが嘘偽りのない言葉だったとわかります。スケールの大きい、素晴らしい生き方をした人でした。

毎月のお小遣いが3000万円のパリ暮らし

治郎八さんは、明治34年（1901年）に、神田駿河台の木綿王と呼ばれた豪商の、三代目として生まれました。母親も社長令嬢という、筋金入りのおぼっちゃまです。18歳でオックスフォード大学に留学し、19歳でパリに移りました。実家からは毎月、今のお金に換算すると約3000万円というお小遣いが仕送りされていたといいます。

そのお金を使って治郎八さんは、藤田《ふじた》嗣治《つぐはる》をはじめとする日本人画家たちや、ピカソ、ジャン・コクトー、マリー・ローランサンらのパトロンとなり、彼らの創作を支援しました。踊り子たちや歌手、女優たちと恋をして、ずいぶん浮き名を流したそうです。イギリスの大政治家、チャーチルの甥と一緒に、モロッコの外国人部隊に入ってみたこともあったとか。

やがて日本の伯爵令嬢、それもものすごい美女の千代《ちよ》さんと結婚。その千代

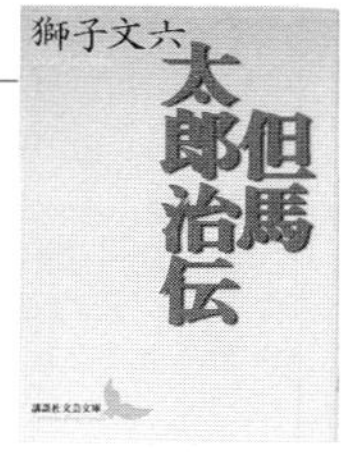

『但馬太郎治伝』

獅子文六《ししぶんろく》著。作者の獅子は駿河台の薩摩邸、パリの日本館、大磯の別荘に行ったことがあり、因縁を感じて書いたとか。昭和42年に発表された（講談社文芸文庫）。瀬戸内寂聴《せとうちじゃくちょう》さんの『ゆきてかえらぬ』も薩摩治郎八がモデル

さんに贈った車がまた、素晴らしいのです。

純銀製の食器をひと揃え、親せきから買い取り、ふと思いついてその銀食器をすべてつぶし、その銀を使って車のボディを造ってしまったのです。薄紫に染めたその車には、銀モールのついたグレイの制服、制帽を着させた運転手をつけました。そしてその車に乗り込む千代さんは、銀色のドレスの上に、銀と薄紫に染めたホワイトフォックスをはおっていたとか。せっかくだからと、王室専用車コンクールに出品したら、グランプリを取ってしまったという話をしてくれたことがありました。

パリで特に何をするわけでもなく、自由気ままに楽しく過ごしていたらしいのですが、今も彼の功績として残っているのは、日本人留学生のために「日本館」を建てたことでしょう。本来なら日本政府がやるべき国家的プロジェクトですが、治郎八さんは快く引き受け、建築資金から何から全部自腹をきって、立派な建物を造り上げました。

その時の完成披露パーティーの素晴らしさは、当時語りぐさになったとか。紺色のタキシードでダンディにキメた治郎八さんを、人々は尊敬をこめて〝バロン・サツマ〟と呼んだそうです。もちろん傍らに立つ千代夫人は、オートク

妻は美貌の伯爵令嬢

パリの高級アパルトマンで新婚生活をスタート。千代夫人には銀製の運転手つき専用車を与え、オートクチュールのドレスや宝石で磨き上げた。夏は避暑にノルマンディーへ、冬はカンヌの『ホテル・マジェスティック』が定宿だった

チュールのドレスと宝石を身につけ、輝かんばかりの美しさでした。

千代夫人のおしゃれはパリの女性たちの憧れの的となり、当時の『ヴォーグ』では毎月のように特集が組まれ、千代夫人の写真が載せられたといいます。絵を習っていた彼女がキャンバスの前に立つ姿も、当時の『ヴォーグ』に見ることができます。夫婦揃って社交界の人気者になりましたが、千代夫人は間もなく胸を病み、その後、40代で亡くなったそうです。

華やかな生活は、1935年に実家の薩摩商店が世界恐慌のあおりを受けて倒産したことから、終わりました。約30年間で費やしたお金は、今に換算すると600億円にのぼるといわれています。戦後日本に戻った時には、無一文。それからは売文業で生計を立てていました。私がお目にかかったのは、ちょうどこの頃のことだったのです。

勲章を受け取りに、三等船室でフランスへ

というわけで、私は薩摩治郎八さんが大金持ちだった時代を知りません。ですがこの方は、粋《いき》でおしゃれで優しくて、本当の意味で豊かな人でした。

最近の政界、実業界には、性欲、物欲、権力欲に毒され、品性のかけらもな

バロネス・サツマは『ヴォーグ』の常連

美しく、リッチで、ファッションセンスもいい千代夫人はたびたび『ヴォーグ』に登場、セレブの一員としてドレスやライフスタイルまで公開している。ところがやがて肺病にかかり、サナトリウムに入院後1949年、若くして亡くなった

い人間ばかりですが、彼は違いました。人間の真価や物の価値を、お金に換算するような卑しい真似は決してなさいませんでした。超一流レストランの味を知っていながら、場末《ばすえ》の食堂の安い定食でも、おいしいおいしいと楽しく召し上がっていらっしゃいました。狭苦しいアパートの一室でセンスよく暮らし、こういう生活もなかなか面白いと、生活を楽しんでいました。

本当の豊かさとは、こういうことです。

お金や物ではなく、品性があるかどうか、自分に対する誇りと尊厳を持っているかどうかで、人間の質は決まるのです。パリでとことん贅沢な暮らしをするうちに、治郎八さんは、本当に価値のあるものは何かを、悟ったのでしょう。

１９６６年、フランス政府からレジョン・ドヌール勲章を授与されましたが、飛行機で行くお金がなく、やっとのことで船の三等切符を手に入れ、パリに渡ったそうです。

爵位は持たずとも男爵と呼ばれた、薩摩治郎八さんこそ本当の意味の貴族だったのだと思います。

国家事業を肩代わりした「日本館」

昭和4年、薩摩治郎八が建設したパリ大学都市の日本人留学生施設・日本館。本来なら日本政府が請け負うべき国家プロジェクトを薩摩家が負担。今に換算すると10億円を超える経費がかかった。今も彼を称えるプレートが掲げられている
ROGER-VIOLLET/ORION PRESS

第三章

時代を超えて
愛され続ける
美のお手本

上質な恋愛映画

おしゃれの心得

素敵な恋愛映画をたくさん観た人は、
たくさんの素敵な恋愛をしたようなもの。
あなたの人生には素敵な想い出が
いっぱい積み重ねられ、それがあなた自身の
細胞のひとつになっていきます。
愛し、愛された記憶が、たとえ映画といえども、
心の中に蓄積されていくのです。

恋愛映画の金字塔『カサブランカ』

絶世の美女、イングリッド・バーグマンと渋い二枚目、ハンフリー・ボガートが演じるせつない三角関係。モロッコを舞台に、主題曲『時の過ぎゆくままに』など美しい音楽をバックに「キミの瞳に乾杯!」などの名台詞《ぜりふ》を重ねていく、必見の名作
KOBAL COLLECTION/ORION PRESS

私のボーイフレンドのひとりが、こんなことを言っていました。

「不思議だなあ。映画でグレタ・ガルボを見ると、美輪さんを思い出すんだ。でもまた別の映画でディートリヒを見ると、ああ、美輪さんだと思う。ヴィヴィアン・リーを見ても、エリザベス・テイラーを見ても、キミのことを思い出してしまうんだよ」

私が若い頃からずうっと彼女たちの映画を観て、その素晴らしいメイクアップ術、気のきいた会話術、そして優しげなしぐさに至るまで、素敵なところをすべて栄養にして取り込んで生きてきたことを、彼は察知してしまったのかもしれません。

映画を〝観る〟ことは、映画を〝生きる〟こと

映画は、最高の娯楽ですが、それだけではありません。観ている人の心に直接働きかけてくる、総合芸術です。

ヤクザ映画を観た男性が、すっかりその気になって肩を揺らしながら映画館を出てくるように、オードリー・ヘプバーンの『ローマの休日』を観た女性が、その足で美容院に行って髪を切りたくなるように、映画を〝観る〟ことは映画

を〝生きる〟こと。映画を観ている間、あなたはそのヒロインになりきって、ヒロインの顔になり体になり、彼女の部屋で彼女の服を着て、彼女の人生を生きているのです。

たとえばそれが恋愛映画なら、その恋を実際に経験するのと同じこと。後になって相手と交わした会話を思い出し、胸がキューンと締めつけられることもあるでしょう。ふとした瞬間に相手の視線が甦《よみがえ》り、ふんわりと心が潤うことも、あるはずです。恋愛のバーチャルリアリティといってもいいかもしれません。

ですから素敵な恋愛映画をたくさん観た人は、たくさんの素敵な恋愛をしたのと同じこと。あなたの人生には素敵な想い出がいっぱい積み重ねられ、それがあなた自身の細胞のひとつになっていく。愛し、愛された記憶が、たとえ映画といえども、あなたの心の中に蓄積されていくのです。

逆に、残虐《ざんぎゃく》で乱暴で質の悪い映画は、観る人に恐ろしい体験を押しつけます。やりきれない思いを経験させて、人生への絶望をもたらします。とりわけ最近の映画はリアリティを追求するばかりで醜く汚く、夢のかけらもありません。作り手の美意識がまったく感じられない、薄っぺらでチープな映画は、いやな思いをするためにお金を払うようなものです。

だからこそ、みなさんには、いい映画だけを観てほしい。美しくて甘くて質のいい映画だけを、選んでほしいのです。

夢を実現してくれるのが映画です

私が大好きな恋愛映画をいくつか挙げてみましょう。

『天井桟敷《てんじょうさじき》の人々』、『哀愁』、『カサブランカ』、『モロッコ』、『ひまわり』、『麗しのサブリナ』、『サンセット大通り』……。

いずれも40年から50年昔の作品ですが、何から何まで素晴らしい、恋愛映画の傑作です。絶世の美女や超二枚目俳優が、感動的なストーリーを名台詞《ぜりふ》で演じています。もちろん力のある監督、美術、照明など優秀なスタッフが一流の美意識を持って、総力を挙げて作り上げているのです。

これこそ、映画です。現実の世界では味わえない夢を実現するのが映画なのですから、現実では手の届かない素敵な世界を描いてくれなくては、観る価値がありません。

何十年にひとり、出るか出ないかの美女、ヴィヴィアン・リーやマレーネ・

ディートリヒ、イングリッド・バーグマンだからこそ、画面に大映しになっても観賞に堪《た》えうるのです。

ロバート・テイラーやゲイリー・クーパー、ハンフリー・ボガートのように美しく粋《いき》な男たちと疑似恋愛できることが、映画の醍醐味なのです。

そしてまた、登場人物のファッションや会話のセンス、しぐさや身のこなしも粋でおしゃれでカッコよくて、目が離せません。

現代のようにいつでもどこでもカジュアル三昧《ざんまい》の時代と違い、これらの映画が作られた時代は、夢のように素晴らしいドレスやかっちりとしたスーツ、きりっとしたシャツスタイルなど、女性のファッションが百花繚乱《ひゃっかりょうらん》、咲き乱れた時代でした。ヘアスタイルもさまざまなバリエーションがあり、計算され尽くしていて見事です。どんなシーンにどんな装いを楽しむことができるのか、参考になるヒントが山のように秘められています。

そういえば少し前に、『麗しのサブリナ』のリメイク版で『サブリナ』という映画を観たのですが、なんとも薄味で、私から見るとひどいものでした。両者を比較すると、監督、俳優、大道具から小道具、照明や衣装に至るまで、どんなに質が低下しているかがわかります。

私は、単なるノスタルジーから、昔の映画はよかった、とばかり言っているのではありません。何度観てもそのつど、新たな発見があります。前に観た時には泣けなかったところで泣けたり、まったく違う印象を受けたり。それによって、自分の成長もわかります。

歴然と、作品のレベルが違うのです。

これら昔の映画は、最近になってあらためてＤＶＤとして発売されているものが多いので、今が買い時かもしれません。レンタルでもかまいませんから、ぜひ今のうちにごらんになることをおすすめします。こうした永遠の名作が廃盤などになってしまわないことを願っています。

気持ちよく泣ける『冬のソナタ』

昔の映画ばかりほめたたえる私に、友人がぜひにとすすめてくれたのが、大ブームとなった韓流ドラマ『冬のソナタ』です。なるほど、これなら日本中の女性たちが夢中になるのも無理はない、と納得しました。

哀しく別れた初恋の相手と再会し、運命に翻弄《ほんろう》されながらも純愛を貫こうとするストーリーです。実はこういう物語は、今までにもいく度となく生み出さ

『愛と死をみつめて』

1963年にこの世を去った大学生大島みち子さん（ミコ）とその恋人河野実さん（マコ）との間で交わされたラブレター（実話）を原作に作られた映画。『マコ、甘えてばかりでごめんね』と始まる主題歌も大ヒット、日本中の涙を誘った

©日活

れ、人気を集めてきました。私が長年演じてきた『椿姫』や『愛の讃歌』もそうですが、相思相愛の男女が運命のいたずらによって引き裂かれる物語は、古今東西、遠い昔から脈々と引き継がれてきた、恋愛ドラマの定番なのです。

ではなぜ、同じような恋愛物語が繰り返し作られてきたのでしょうか?

それは人々が、そうしたロマンティシズムなしでは生きられないからです。登場人物の純粋さ、ひたむきさ、優しさや思いやりに胸を打たれ、せつなくなって泣いてしまう感動の涙には、人生を豊かにする力があるからなのです。

『冬のソナタ』は、登場人物たちもよく涙を流しますが、観ている人の涙腺をも刺激する、優しさやロマンティックがてんこ盛りでした。

美男美女のカップルが恋を語りあうのは、美しい田園風景の中。しかも叙情的なBGMが要所要所で雰囲気を盛り上げます。ふたりがどんなに親密でも、きちんと「です・ます」調の上品な言葉で会話を交わしているのも、好感が持てます。服装はコンサバティブで清潔感のある大人のファッション。しかもお行儀よくて礼節があって、互いを思いやる気持ちにあふれていて、どんなに好きでも見返りを要求しない、見事な恋愛です。

しかも主人公を演じるペ・ヨンジュンさんの、あの微笑みはたしかに素晴ら

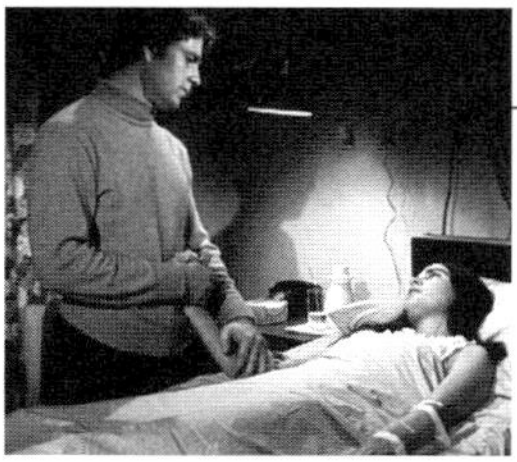

『ある愛の詩』

大富豪の息子オリヴァーと貧しいイタリア移民の娘ジェニーの恋。オリヴァーの両親に交際を反対され、逆境をふたりで乗り越え、ようやく新生活が始まるが、ジェニーは難病に……。「愛とは、決して後悔しないこと」という名文句が心に残る
AS/ORION PRESS

しい。美しい歯を惜しげもなく見せて、優しく優しく笑っています。優しさと男らしさは両立しないと思い込んできた日本の旧世代の男たちには、あんな素敵な笑顔は到底できないでしょう。

そんな韓流ブームに刺激を受けたのか、日本でも泣ける映画が作られました。『世界の中心で、愛をさけぶ』という映画です。今までだったらダサイ、ウザイと片づけられていたような純愛シーンをなんのてらいもなく素直に表現して、大成功を収めました。このヒットにあやかろうと、続々と純愛ドラマが作られているようです。

これをきっかけに日本の映画人たちも、どんな映画を作ればよいのか、きちんと考え直すべきだと思います。今まで妙な個性派俳優ばかりを起用し、夢も希望もない薄汚いリアルさばかりを追い求め、日本映画をつまらなくしてしまったのは、旧来の映画監督や製作者たちなのですから。

感動の涙は心をきれいにしてくれます

ともあれ、『冬のソナタ』や『世界の中心で、愛をさけぶ』をごらんになって、涙を流す快感を知った人は、多いと思います。けっこうなことだと思います。思う存分、お泣きなさい。

悲しくて流す涙はまた別ものですが、感動の涙には、心を浄化する作用があります。ひとしきり泣いた後、人は優しい気分になり、自分はなんて清らかでよい人間なんだろうと思うことができます。涙を流せる自分自身が大好きになります。自分はこうして泣くことのできる人間なのだという自覚がまた、あなたを感動させるのです。

人間は、本当は泣きたいのです。そして泣くことは決して、恥ずかしいことではないし、カッコ悪いことでもありません。機能性、利便性、経済効率が最優先の殺風景なこの世の中で、"泣く"という行為はあなたの心に潤いを補給してくれる、荒《すさ》んだ現実から守ってくれる、ひとつの護身術でもあるのです。

美しい恋愛映画をごらんなさい。そして思う存分、感動の涙を流してくださ い。

おしゃれコラム 13 ~素敵な恋の名作映画~

映画を観ている間、あなたは映画のヒロインとして生きています。素晴らしい恋を描いた映画なら、あなた自身がその恋をしたのと同じこと。素敵な恋の映画を、ごらんなさい！

忘れられない恋をした、王女様の大冒険

「ローマの休日」

アン王女（オードリー・ヘプバーン）は、親善旅行でローマに到着。自由のない生活にうんざりしていた彼女は宮殿を抜け出し、普通の女の子として休日を楽しむ。正体に気づいた新聞記者が追跡取材をして……。結ばれない運命の哀しい恋をおしゃれに描いた名作です。（1953年）

MPTV/ORION PRESS

失恋→変身→大恋愛！おしゃれと恋の教科書映画

「麗しのサブリナ」

富豪ララビー家のお抱え運転手の娘サブリナ（オードリー・ヘプバーン）は失恋し、パリに旅立つ。2年後、洗練された美女として戻ったサブリナはララビー家の長男ライナスを魅了する。身分違いの恋に逡巡《しゅんじゅん》するライナスだが……。失恋をバネにきれいになって幸せになる！　まさに女の夢を実現した映画です。（1954年）

SIPA/ORION PRESS

激動の時代を、自分の欲望に
忠実に生きる美女、スカーレット

「風と共に去りぬ」

アメリカ南部の大農場の娘、スカーレット・オハラ（ヴィヴィアン・リー）。初恋の男性アシュレーに求婚するが、彼は貞淑な女性を妻に選んだ。南北戦争が勃発し、戦禍に巻き込まれながら、スカーレットは運命の男、レット・バトラーと出会い、ひかれていく。恋愛を物語のタテ軸に、女の一生を描いた、アメリカ版大河ドラマです。（1939年）

SNAP/ORION PRESS

世紀の美男美女が演じる、
哀しくせつない大メロドラマ

「哀愁」

第一次世界大戦下のロンドン、偶然出会った英国将校とバレエの踊り子マイラ（ヴィヴィアン・リー）は恋におち、すぐに結婚。ところが出征した彼が戦死との知らせが届き、マイラは絶望して……。戦争に引き裂かれ、誤解が踏みにじった哀しい恋。これぞメロドラマ、の哀しい結末は涙なしでは観られません。（1940年）

KOBAL COLLECTION/ORION PRESS

過去を背負った男と女の
絶望的な愛を描く

「モロッコ」

外国人部隊にいるトム（ゲイリー・クーパー）と酒場の歌姫アミー（マレーネ・ディートリヒ）の恋物語。上官の嫉妬《しっと》からトムはサハラ戦線に送られます。彼が負傷したと聞き、アミーはすべてを投げ出して砂漠の中、彼のもとへ。すれっからしの女が最後に見せる純情に、世界中の人が涙を流した名作です。（1930年）

SNAP/ORION PRESS

混乱した時代がふたりを
引きあわせ、戦争が引き裂いた

「凱旋門」

第二次世界大戦勃発前夜のパリ。亡命者の医師ラビック（シャルル・ボワイエ）は自殺しようとしていた女性ジョーン（イングリッド・バーグマン）を助けた。ふたりはやがて恋におちるが、彼は不法入国がばれて、国外退去に。意思とは関係なく戦争に翻弄される恋に、哀しい結末が。甘くせつない、悲恋映画の決定版です。（1948年）

KOBAL COLLECTION/ORION PRESS

夫が戦争から帰らない。
探し出した時、彼は……

「ひまわり」

出兵直前に結婚、戦争が終わっても帰ってこない夫アントニオ（マルチェロ・マストロヤンニ）をロシアまで探しにいった妻ジョバンナ（ソフィア・ローレン）。彼は生存していたが、哀しい現実が待っていた。壮大なひまわり畑の映像と哀切なテーマソングのメロディに心を揺さぶられます。（1970年）

ALLSTAR/ORION PRESS

おしゃれコラム 13

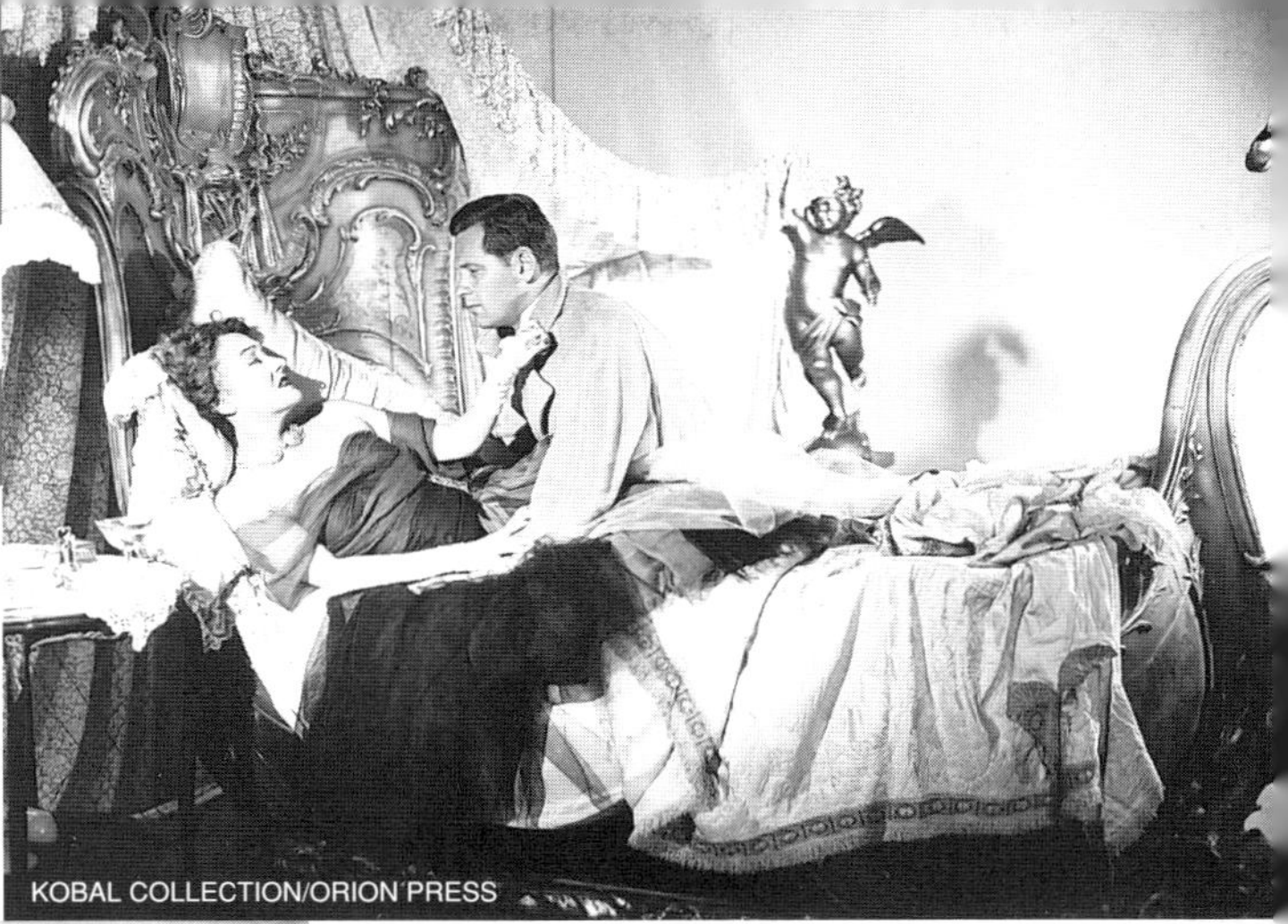
KOBAL COLLECTION/ORION PRESS

私が愛してあげると
言っているのに、なぜ？

「サンセット大通り」

売れない映画脚本家ギリスが迷い込んだのは、サイレント映画時代の大女優ノーマ（グロリア・スワンソン）の邸。かつての名声と栄華が忘れられないノーマは再起を図ろうとギリスを利用するが、いつの間にか愛してしまう。スワンソンが鬼気迫る演技でみせる哀しい愛の物語。（1950年）

ROGER-VIOLLET/ORION PRESS

何があっても観ておくべき！
世界最高の恋愛映画

「天井桟敷の人々」

第二次世界大戦中、ドイツ占領下のパリで制作されたフランス映画の傑作。1800年代のパリを舞台に女芸人ギャランス（アルレッティ）、パントマイム役者バティスト、座長の娘ナタリー、それぞれの愛が交錯。詩人プレベールによる数々の名台詞が人間の弱さや愚かさ、愛の真実を見事に表現します。（1945年）

2度の記憶喪失を乗り越えて
甦る、究極の愛の物語

「心の旅路」

精神病院から脱走したスミシイは踊り子ポーラ（グリア・ガースン）に助けられ愛しあうようになる。ところが偶然過去の記憶を取り戻し、同時にポーラとの3年間の記憶を失ってしまう……。献身的なポーラの愛は、感動的。メロドラマの名作として今も高く評価されています。（1942年）

AS/ORION PRESS

映画女優の美しさ

おしゃれの心得

映画というのは文字どおり、「画を映す」もの。
卓越した美意識を持つプロ集団が総力を挙げて
作り出す映像美を、大きなスクリーンに
映し出すことが、映画の基本です。
かつての日本映画は美的センスも
撮影の技術も超一流。そして、その中で輝く
女優たちの美しさも演技力も世界水準でした。

『安城家の舞踏会』の原節子《はらせつこ》さん

原節子さんは1920年生まれ。“永遠の処女”と呼ばれ、多くの名監督に愛された大女優。その美貌《びぼう》のみならず言葉遣いもしぐさも美しく、まさに日本女性の理想像。しんの強いお嬢様役は絶品だった。42歳で惜しまれながら引退した
©松竹『安城家の舞踏会』 監督／吉村公三郎　1947年

女優は「にょゆう」でした

明治時代に女優は「にょゆう」と呼ばれていたのをご存じでしょうか？読み方が違うだけでなく、その意味するところも、今とは大違い。「じょゆう」ではなく「にょゆう」と呼ばれたその頃、女優になることは〝いかがわしい商売をする〟のとほぼ同じことと思われていました。「深窓《しんそう》の令嬢」という言葉が生きていた時代です。女が顔を世間にさらすということは、とんでもなく恥ずかしいことだったのです。

新聞社が「全国美人コンテスト」というものを主催して、全国から写真を募りました。その時に、良家の子女の写真が知りあいによって冗談半分に応募され、入選して新聞にその写真を掲載されてしまったばかりに、そのお嬢様は学校をやめさせられてしまった、見合い話も打ちきられてしまった、という話が、珍しいことではなかったといいます。

そんな価値観を引きずっていた大正から昭和初期にあえて女優という道を選んだ女性たちは、どなたもみな特別な存在であり、根性が座っていました。女優としてスクリーンに大映しになった時、観客が思わずため息をもらしてしまうような美しさを発揮して、「ああ、これならば女優という仕事を選ぶのもしかたない」と納得させるだけの、圧倒的な存在感がありました。

なかには入江《いりえ》たか子《こ》さんや久我美子《くがよしこ》さんのように、華族や貴族のお嬢様、世が世ならばお姫様と呼ばれる女性もいたのですが、その清楚《せいそ》な美しさがスクリーンに映し出されると、観客はうっとりと見入ったものです。

燦然《さんぜん》と輝いていた、昔の女優たち

映画というのは文字どおり、「画を映す」もの。カメラマン、照明、衣装、結髪《けっぱつ》に化粧（ヘア&メイクアップ）、大道具、小道具と、卓越した美意識を持つプロ集団が総力を挙げて作り出す映像美を、大きなスクリーンに映し出すことが、映画の基本です。

その大画面に映し出されるのは、絶世の美女や目の覚めるような美男子であってほしいものです。高いチケットを買い、時間をやりくりして観にいくのですから、普段はめったにお目にかかれないような、素晴らしい人でなくてはつまりません。音楽は、うっとりするような美しい旋律で、映像を引き立ててくれるのが役目です。そして優れた脚本家が書いた、面白い物語なら、言うこと

侯爵家出身の女優・久我美子さん

世が世ならお姫様と呼ばれた彼女は、親に内緒で東宝ニューフェイスに応募し、女優になったという。品のある美しさは本物。『また逢う日まで』でガラスごしに交わしたキスは、日本映画史上初のキスシーンとして名高い
©東宝『また逢う日まで』1950年

がありません。

ところが昭和30年代以降、日本映画は変わってしまいました。

フランスの、ヌーベルバーグ※の影響です。作品に緊迫感やリアリティを加えるために、ドキュメンタリー風に撮ろうという、新手の手法でした。手持ちカメラを使い、自然光を使って撮った、粗い映像。聞き取りにくい台詞《せりふ》や下手な芝居が新鮮とされ、素人が作った手作り感覚の映画が世界的に流行し、その余波が日本にも押し寄せたのです。

俳優の質も、それに合わせて変わりました。

決して美男美女ではない、親近感のある俳優たちが主流になってしまったのです。ハリウッドにマーロン・ブランドやジェームズ・ディーンが登場したあの頃、不良っぽくて親しみやすいスターが日本でも待望されていたのでしょう。日本では、昭和30年にデビューした石原裕次郎《いしはらゆうじろう》さんが、そういう庶民派スタアの先駆けだったように思います。

そしてハリウッドも日本映画界もそれ以後、映画が本来あるべき姿を見失ってしまったのです。登場するのは、そこらへんを歩いているような、魅力のない俳優や女優ばかり。夢のようなお話は敬遠され、リアリティのある、現実の

※ヌーベルバーグ
『新しい波』という意味の言葉で、1950年代から、60年代にかけて起こった映画運動。進化した機材を使ってロケ中心、同時録音、即興演出でリアルな映像を作ろうとした。代表作はジャン＝リュック・ゴダールの『勝手にしやがれ』(59)、フランソワ・トリュフォーの『大人は判ってくれない』(59)、ルイ・マルの『死刑台のエレベーター』(57)、アニエス・ヴァルダの『幸福（しあわせ）』(65)など

二番煎じのようなストーリーばかりが罷《まか》りとおっています。

ですから、でき上がった作品は映画ではなく、ニュースやノンフィクション映像のような代物《しろもの》。まるで、今しがた畑から抜いたばかりの大根を、そのまま食べろと言われているような味気なさです。

昔は同じ大根でも、洗って刻んで調理して、きれいな食器に盛りつけて、さあ召し上がれ、と供《きょう》しました。そうやって総力を結集して作り上げた世界が、映画というものでした。その中で燦然と輝いているのが、女優という特別な存在でした。

たとえば原節子《はらせつこ》さんの、完璧な美しさ。物腰もきれいのみならず、素晴らしい演技力がありました。

田中絹代《たなかきぬよ》さんの、演技力。何十本という作品のヒロインを演じ、にもかかわらず晩年、『楢山節考《ならやまぶしこう》』という映画で老女を演じた時には健康な歯を抜いてまで役になりきった、名女優です。

山田五十鈴《やまだいすず》さんの、存在感。日本舞踊や三味線、常磐津《ときわず》、長唄、端唄《はうた》、小唄に至るまで、小さい頃から修養した芸が、画面に生きています。女のすごみ、業を演じさせたら、右に出る人はいません。

ほかにも高峰秀子《たかみねひでこ》さん、京《きょう》マチ子《こ》さんなど、かつての日本映画を代表する女優たちには、美しさ以上の何かがありました。容貌だけでなく、言葉の使い方も身のこなしもエレガントに磨き上げ、自分がどうすれば美しく見えるか、研究して努力している人たちでした。日本映画は彼女たちによって、成り立っていたのです。

最近の時代劇は、抱腹絶倒のコメディです

それに引き換え今の女優たちは、まだ泥がついたままの状態としか思えません。昔の映画を片っ端から見て、美しい物腰や言葉遣い、しぐさを研究し、着こなしや微笑みのつくり方を研究するべきではないでしょうか。

また私は、日本映画界から衣装や結髪などの技術が失われていくのが、残念でたまりません。最近の時代劇を観ると、女優たちは間違いだらけの扮装《ふんそう》とカツラで姿をこしらえ、現代風の台詞回しや動作で、それが当たり前とでも言うように平然と江戸時代の女性を演じているのです。

中年過ぎの某スター女優が、打ち掛けスタイルで足を外股にし、反っくり返って立っているのを見て、私は絶句してしまいました。江戸時代の女性なら足

今いちばん輝いているのは宮沢りえさん

『たそがれ清兵衛』では主人公を支える武家の出戻り娘を熱演。「きれいだし演技力があるし、今の日本の女優でピカイチ。とてもいい女優になりました」。04年度は『父と暮せば』でブルーリボン賞主演女優賞も受賞した。©松竹『たそがれ清兵衛』監督／山田洋次　2002年

は内股ですり足、立つ時も小腰をかがめるという常識もないのです。私から見ると、まるでアメリカ人女性がふざけて芸者スタイルを真似ているようにしか見えません。おかげで最近の時代劇は、抱腹絶倒のコメディとして楽しめるようになりました。

そんな中で見事だったのは、『たそがれ清兵衛』でヒロインを演じた宮沢《みやざわ》りえさんです。着物の着こなし、台詞の言い回し、しぐさに至るまで完璧に役になりきり、しかも品位を失わず、武家の女性を演じきっていました。

女優は、見られるのが商売。私たちは彼女たちを通して、物語の登場人物を見るだけでなく、女の美しさ、品格、女のずるさや愚かさ、強さ、優しさまでも、見ています。

いい映画を観て、いい女優から多くを学んでください。素敵な女性をたくさん見ることは、きっと、あなたの素敵につながります。

おしゃれコラム 14 ～これぞ日本の映画女優～

絶世の美女であると同時に品がよく、言葉遣いも表情もしぐさも洗練されている。“女優”というのはそんな、憧れの存在でした。かつての日本映画界の名女優たちを紹介しましょう。

日本を代表する美女

原 節子

原節子さんは戦後の知的で現代的な美女の象徴的存在。多くの名監督に愛され、とりわけ小津安二郎《おづやすじろう》監督のミューズとして“永遠の乙女”と絶賛されましたが、42歳で引退

Ⓒ松竹　監督／吉村公三郎　1947年

『安城家の舞踏会』

華族制度の廃止で爵位を失い、茫然自失の安城家の人々。屋敷を手放すことになり、次女敦子は最後の舞踏会を開こうと提案します。令嬢としての言葉も身のこなしもすべて完璧です

Ⓒ東宝　監督／今井正　1949年

『青い山脈』

旧弊な田舎を舞台に、終戦後、人間性を解放された若い男女が自由に恋をする喜びを描いた作品。原節子さんの美しさが印象的。何度もリメイクされた青春映画の代名詞的作品です

旧侯爵家出身のセレブ女優

久我美子

久我さんは侯爵家令嬢。近寄りがたい美しさ、上品さ、清純さがありながら、時折見せる親しみのある笑顔が魅力的。演技力にも優れ、名作や大作に数多く出演しています

©東宝　監督／今井正　1950年

『また逢う日まで』

空襲警報が鳴り響くホームで出会った学生と女流画家。反戦意識を持つふたりが戦争によって引き裂かれる哀しい恋の物語です。出征する彼とガラス越しに交わす、日本映画史上初のキスシーンは有名

『挽歌』

久我美子さんが大人の男を誘惑する屈折した娘役を演じている恋愛劇。好奇心とコンプレックスが同居する若い女性の複雑な心理を小粋《こいき》に描いた、秀逸なメロドラマです。久我さんは華奢《きゃしゃ》でおしゃれで、まるでオードリーのようです

©松竹　監督／五所平之助　1957年

昭和を代表する名女優

田中絹代

絶世の美女ではありませんが、14歳でデビューしてから演技派女優として250本余りの作品に出演。一生を映画に捧げ、幅広く長く愛された大女優。40代からは映画監督としても活躍、6本の作品を撮っています

©松竹　監督／五所平之助　1931年

『マダムと女房』

日本のトーキー第1作の本作品では日本的な世話女房を演じ、新時代への幕を開けました。『愛染かつら』から晩年の『サンダカン八番娼館・望郷』まで、田中さんはあらゆる立場の日本の女を、等身大で演じきった女優です

肌の美しさは天下一品

高峰秀子

天才子役から大人の女優へ。スクリーンで大映しになると、その肌の美しさは息をのむほどでした。『わたしの渡世日記』など、エッセイも書く女優の草分け的存在です

Ⓒ松竹　監督／木下惠介　1951年

『カルメン故郷に帰る』

高峰さん演じる田舎娘が東京に出てストリッパーとして成功し、故郷に錦を飾るというコメディ。日本初の総天然色の長編映画です。クールビューティを演じるかと思えば気取らない、気さくな役も得意とする、芸域の広い女優です

Ⓒ東宝　監督／成瀬巳喜男　1955年

『浮雲』

戦時中外地で知りあった男と女が日本に戻ってから別れたり、復活したり。離れられない関係を洒脱な台詞、緊張感のある画面で描いた名作。2005年は名監督成瀬巳喜男《なるせみきお》の生誕100年の年

演技力で圧倒する大女優

山田五十鈴

1929年、日活に入社。以来、徹底したプロ根性と卓越した演技力で名監督たちにも愛される女優となりました。45歳で活躍の場を映画から舞台へとシフト。三味線や長唄など鍛え抜いた芸でワン＆オンリーの存在です

『鶴八鶴次郎』

長谷川一夫《はせがわかずお》さんと共演した、三味線弾きの鶴八と新内語り鶴次郎のせつない恋の物語。美男美女が芸を見せる、贅沢なエンターテインメント。今も時折舞台化されている名作です

Ⓒ東宝　監督／成瀬巳喜男　1938年

貴族出身の映画スタア

入江たか子

父は子爵で貴族院議員。その美貌を生かして女優となり、無声映画時代はトップ女優に。トーキーになって人気が落ちたものの怪奇映画の“化け猫女優”として復活しました

Ⓒ角川映画　監督／山本嘉次郎　1938年

『藤十郎の恋』

元禄時代の京都南座の役者、坂田藤十郎がぬれ場をうまく演じるために祇園一の芸者を口説くという残酷な物語。長谷川一夫を相手に、入江さんの美しさが際立ちました

グラマラスな魅力の国際派

京マチ子

大輪の花のような容貌、メリハリのあるナイスボディでダンサーとしてデビューした京マチ子さん。黒澤明《くろさわあきら》、溝口健二《みぞぐちけんじ》などなど、名監督の指導のもとで女優として開眼、海外の映画祭の常連女優となりました

Ⓒ角川映画　監督／黒澤明　1950年

『羅生門』

1951年日本映画で初めてベネチア国際映画祭でグランプリを受賞した作品。原作は芥川《あくたがわ》龍之介《りゅうのすけ》の『藪の中』。京さんは夫を殺された女・真砂役を大胆に、時にエロティックに好演しました。監督は黒澤明、共演は三船敏郎《みふねとしろう》

Ⓒ角川映画　監督／溝口健二　1953年

『雨月物語』

溝口健二監督の本作に出演、『羅生門』に続き、1953年またもベネチアで受賞。戦いで滅んだ一族の亡霊が美しく若い女となって男を誘惑するという怪奇物語の名作です

輝く男の条件

おしゃれの心得

今ようやく、封建制度の無理な価値観が薄れて、
男たちは裃《かみしも》を脱ぎ捨て、
本音で生きていい時代になりました。
そんな時代の中でキラリと光るのは、
それに代わるしっかりとした価値観を、
自分の手でつくり上げることのできた男たちです。
好きな男のレベルは、あなた自身のレベル。
本質的な男の魅力に敏感になってください。

新庄剛志《しんじょうつよし》こそ男の中の男です！

ド派手ファッションとやんちゃな発言でファンを楽しませている新庄選手。でも素顔はクールな知性派で、実はしっかりとした信念の持ち主。「監督にではなく、ファンにいいプレーを見せたい」、「結果はどうあれ、オレの人生、オレが楽しむ」と、キメてくれる

好きな男のレベルが、あなた自身のレベルです

あなたは、どんな男性がお好きですか?

もちろん、フェロモンを感じる部分は人それぞれ。好きなタイプもいろいろですが、あなたが好きだと思う男性によって、あなた自身のレベルまでばれてしまうということを、お忘れなく。

「え! あんなのが好きだったの?」

「彼女って、あのレベルだったの?」

と、いうように。

たしかに、体がたくましくてエロティックな男性は素敵です。イケメンの男性も、見ているだけでうれしくなってしまいますね。ですが、それだけしか取《と》り柄《え》のない男性と意気投合して体の関係を結んだところで、そこから先はどうすればいいのでしょう。知的な会話を楽しめますか? 未来の夢を語りあえますか?

顔だけ、体だけの薄っぺらな男性を好きだということは、あなた自身もそれだけの女ということ。体だけの男とつきあう女は、体だけの女にしかなれませ

ん。好きな男のレベルはそのまま、あなた自身のレベルになるのです。

内面からにじみ出る、本質的な男の魅力に敏感になってください。

私が思う、いい男の条件とはまず、思いやりがあり、優しさがあること。真面目で誠実で、無神経ではない、ということです。

いい男は一緒にいる時、ありのままのあなたを受け止め、包み込んでくれます。あなたがたとえ何かに失敗したとしても、見て見ぬふりをしてこちらに恥をかかせません。そして名前を呼べばいつでも、微笑んで振り向いてくれるでしょう。どんな話題でも一緒に会話を楽しむことができて、教養があるのであなたを飽きさせません。礼儀正しく品がよく、あなたを不快にさせることもありません。そんな懐の深さや余裕が、大人の男の魅力です。そしてそれこそが、身も心も抱かれたいと思わせる、大人の男の色気なのです。

男の本質は、お気楽極楽の能天気

聖書は、こんな物語から始まっています。

昔々アダムとイヴは、神の庇護《ひご》のもと、エデンの園で平和に暮らしておりました。人類第一号の男であるアダムはお気楽極楽で、のほほんと過ごしています。それが男の本質なのです。ところがある日、邪悪な蛇がやってきて、人類第一号の女であるイヴに、りんごをすすめたのです。りんごは神が、絶対に食べてはいけないと禁じた果実でした。ところが、女の本質そのままに好奇心旺盛なイヴは、ついうかうかとりんごを食べてしまいます。そして自分ひとりが罪を負うのがいやさに、アダムをそそのかして、彼にもりんごを食べさせたのです。やがて禁断の実を食べた罪により、アダムとイヴはエデンの園を追われます。

まさにアダムとイヴは、男と女の代表的なサンプル。男と女の特性と関係は、聖書が書かれた昔から何も変わっていません。

そもそも男の本質は、お気楽極楽の能天気。偉そうな顔をしながら小心翼々《しょうしんよくよく》としている臆病者が多く、肝っ玉がノミの心臓のように小さくて、ささいなことをいつまでも根に持って忘れません。しかもほとんどの男は、幼児性がいつまでも抜けない甘ったれ。本当に情けない生き物です。

嫉妬《しっと》深さも、男の特性。日本の表舞台に、正統派の美男が少ないことが、何よりの証拠です。芸能界を見ても、顔は多少可愛くても身長の低い、華奢《きゃしゃ》な体型の男性タレントばかり。

ハリウッドもしかり、です。アメリカの映画業界には本当に美しい俳優予備軍の男性が山のようにいるのに、美形であればあるほど、チャンスは与えてもらえないのです。

理由は簡単。映画の製作者や出資する側の男たちが、美しい男に嫉妬するからです。自分たちが美しくないのをわかっているので、男は顔じゃない、とばかりに、凡庸《ぼんよう》な男ばかりを起用するのです。そして男性の観客もまた、美しい男を認めようとしません。結果、日本やアメリカの芸能界から、美男が消えてしまいました。日本女性が韓国や台湾の美形俳優に心奪われるのは、そんな状況の中で美男というものに飢えていたからにほかなりません。

それでいて日本の芸能界では、さほど美形でもない男性が、事務所や制作会社の力関係で、美男だ美男だと祭り上げられています。女性誌の「いい男ベストテン」でも、そういう製作者側の思惑が反映されているようで、納得のいかない結果が目につきます。なんとも興ざめなことです。

さらに実業界でも経済界でも、美男にはとんとお目にかかれません。イケメンは美しいというだけで嫉妬され、足を引っぱられ、チャンス

イチロー選手こそ日本のサムライ

凛《りん》として毅然《きぜん》として、言い訳せずに結果を出す。日本のサムライのあるべき姿を現実に示しているのがイチロー選手。「武士道は騎士道にも通じているので、アメリカ人も彼を尊敬せざるを得ないのでしょう。彼こそ日本の誇りですね」

を与えられません。無能という刻印を押され、つぶされてしまうのが男社会の宿命です。どの世界でも力をつかむのは、器量がよくなくてくせの強い、ひねくれている男性ばかり。男は女よりもずっとずっと嫉妬深い生き物なのです。

これから輝く男たちの条件とは？

そんな男たちが長い間〝男尊女卑〟などと言って威張ることができたのは、封建社会だったおかげです。とりわけ日本では中国から伝わってきた儒教精神が津々浦々《つつうらうら》まで行き渡り、権力者として家長として、男性を立てることが美徳とされてきました。「どんなヤツでも男なら偉い」というシステムが確立していたのです。

ところがそんな乱暴で無理のある封建制度は、実は祭られる側の男性にとっても、プレッシャーでした。彼らは無能さや愚かさ、弱さを、体面や世間体を取りつくろうことでおおい隠し、なんとか威厳を保ってきたのです。

それが今ようやく、長い時間を経て、封建制度の無理な価値観が薄れ、男たちも裃《かみしも》を脱ぎ捨て、本音で生きていい時代になりました。へらへらへらへらしている軽佻浮薄《けいちょうふはく》な男が増えてしまったのは、そのためです。そんな中でキラリと光るのは、封建制度に代わるしっかりとした価値観を、自分の手でつくり上げることのできた男たちでしょう。

プロ野球選手の新庄剛志《しんじょうつよし》さんをごらんなさい。彼はおちゃめでやんちゃで、一見軽い男を演じていますが、その本質は実に骨っぽい男です。その発言をよくよく聞いていると、きっちりと自分の立場を見据えて熟考し、行動に移しているのがよくわかります。

大リーグで前人未踏の活躍を見せているイチローさんも、自分というものを貫いているまさにサムライです。どんな状況にあっても揺るがず、おごらず、自分がいかに生きるべきか、自分にとって何が大切で何を捨てるべきか、きっちりと見据えています。

彼らのように自分の中に核となる絶対的な価値観があれば、人に優しくなれます。自分を大事にできる人は他人も大事にできるので、そこに思いやりが生まれます。自分の未来を信じていれば、遊ぶよりも真面目に誠実に生きる道を選ぶようになります。

私の言う、優しくて思いやりがある、真面目で誠実な男性というのは、そういう男性のことをさすのです。

～今、愛《め》でるべき男たち～

あなたは、どんな男性がお好きですか？　外見やイメージにとらわれず、男性を見る目をお持ちなさい。男を見分ける能力は、あなたを幸せにしてくれる大切な要素なのです。

最大の魅力は“声”

福《ふく》山《やま》雅《まさ》治《はる》

素晴らしいイケメンですが、実は彼の最大の魅力は、その声です。バリトンの声と男意識の強いそのもの言いが、優しげなルックスとアンバランスで印象的。南方系の大らかな性格と相まって、抗いがたい魅力になっています

レコーディング風景からコンサート会場の楽屋、ステージまで徹底的に密着して撮り下ろした写真集＆インタビュー集。男っぽくて、でもおちゃめな素顔の福山雅治を堪能できます。
『福山雅治　伝言』（集英社）写真／大村克巳

繊細なまなざしで語る人

豊《とよ》川《かわ》悦《えつ》司《し》

彼の魅力は、相手を包み込むような上品な優しさ。そして彼ほど美しい手をした男性に、私は会ったことがありません。黙っていても、強烈な大人の男の色気があります。素顔は礼儀正しく、真面目で素敵な男性です

吉永《よしなが》小百合《さゆり》さん主演の映画『北の零年』では、ヒロインを陰から支える、たくましく優しい明治の男性を演じました。大きな体とその繊細なまなざしがどんな言葉よりも多くを語る、存在感のある彼にはハマリ役でした。（東映ビデオ）

不思議な色気を持つ男性

オダギリジョー

ものの言い方にとても色気があります。また、目も唇も色っぽくてとてもセクシーです。どんな役を演じてもリアリティがあり、才能を感じます。個性派で、温室育ちの花の中で異彩を放つ、野の花といった風情でしょうか

©2002アカルイミライ製作委員会

『アカルイミライ』では、自分を持て余し、荒々しく生きざるを得ないナイーブな青年を好演。新たな魅力を見せてくれました。（発売・販売／クロックワークス／メディアファクトリー）

©2004「父と暮せば」パートナーズ

映画『父と暮せば』の中でヒロインを愛する男性として印象的な演技を見せた浅野さん。一瞬で男の誠実さ、優しさ、強さを余すところなく、表現していました。（バンダイビジュアル）

存在そのものがセクシー

浅《あさ》野《の》忠《ただ》信《のぶ》

一見、普通、真面目で誠実、なのにおしゃれでどこか不良っぽさがあって……。そういう人間的魅力が彼の中で溶けあい、強烈なフェロモンになって、存在そのものがセクシーです。どんな役柄を演じても、いつもオリジナルで、素敵な男性です

50年代の雰囲気を持つ大器

木《き》村《むら》彰《しょう》吾《ご》

いくつかの小劇団を遍歴したのち、卓越した演技力と洞察力で高い評価を得て、現在、美輪作品の常連として活躍中。1950年代の日活全盛期のスタアのような美しさ、風格、スケールの大きさを兼ね備えた俳優です。股下90センチの長い脚も魅力

美輪明宏版『椿姫』では相手役で主演のアルマン役を、また『黒蜥蜴』でも雨宮役を好演。大河ドラマ『義経』、また映画では北野武監督の『TAKESHIS'』にも出演。『クリープ』のCMも話題に

愛こそが宝物『椿姫』

おしゃれの心得

サラ・ベルナール、アラ・ナジモヴァ、
グレタ・ガルボ、マリア・カラス……。
洋の東西を問わず、ひと癖もふた癖もある、
大女優たちが演じ続けてきた『椿姫』。
たとえ衣装は違っても、この物語の結論はひとつ。
純情な、素朴な人間の心、真心のこもった
永遠の愛、それが人生の宝だということです。

美輪明宏版『椿姫』

松浦竹夫《まつうらたけお》氏演出による初演は1968年。98年の再演時からは、脚本・演出・美術・衣装・音楽すべてを担当している。もちろん主演のマルグリットは美輪明宏。アールデコ調に統一された舞台美術や衣装も美しく、観客を酔わせ続けている

私が今までいく度も演じてきたお芝居のひとつに『椿姫』があります。

今から150年ほど昔、フランスのデュマ・フィス※という文学者が書いた物語ですが、世の中に何千何百と物語がある中で、これほど大女優に愛された物語は、ほかにありません。

また演じる女優によって、姿形がこれほど変わるヒロインも、ほかにはないと思います。

歴代の名女優が演じた『椿姫』

『椿姫』のヒロインは、姫は姫でも夜の姫。パリの裏社交界に生きる娼婦・マルグリットです。裏社交界というのは、本当の社交界では相手にされない娼婦や愛人が堂々と顔をさらしてお相手をする、まさに社交界の裏側の世界。マルグリットは、当初は女子工員としてつましく働いていたものの、なりゆきで娼婦になってからは次々と男をだまし、裏社交界の女王に成り上がります。1年間に5億円も10億円も使い果たしてしまうほど、贅沢三昧《ざんまい》の華やかな暮らしを送ってきた女です。

ところが美しいドレスを着、宝石を身につけ、美酒美食に明け暮れていたあ

※デュマ・フィス
（1824〜1895年）フランスの劇作家・小説家。父親のアレキサンドル・デュマも劇作家で、区別するためにデュマ・フィス（デュマの息子）と表記される。代表作は『椿姫』

る日、体に変調を感じます。当時は治りにくい病気とされた、肺病にかかってしまったのです。

そこに登場するのが、田舎の税務署長の息子、アルマン。名家の息子で世間知らずですが、美しく純真で、まっすぐな男の子です。その彼が街角で、お気に入りの椿の花を手に微笑むマルグリットを見かけて、ひと目惚《ぼ》れ。やがてマルグリットも彼の誠意を受け入れて恋仲になるのですが、彼の両親に反対され、ふたりで暮らすお金もなくなり……。と、実にオーソドックスなメロドラマです。

この物語を芝居として演じ、最初に大当たりを取ったのが、フランスの伝説的名女優、サラ・ベルナールです。さまざまな名舞台をものにした彼女ですが、椿姫を演じる時、彼女はあえて当世風の衣装で演じました。本来ならフルレングスの正統派ドレスで演じるべきところ、アールヌーボーが最盛期のこの時代、シンプルなモダンガール風のスタイルで椿姫を演じたのです。結果は、大成功。マルグリットはサラ・ベルナールの当たり役となりました。

冒険心旺盛な彼女は次々と新しい演目に挑戦したので、なかには人気薄の芝居もありましたが、そんな時は思いきりよくぱっとその芝居を打ち切り、『椿姫』に切り替えて上演すると、またたく間に大入り満員になったとか。

無声映画時代に映画化され、その時ヒロインを演じたのが、東欧出身の大女、アラ・ナジモヴァでした。彼女もまた、当時の最新ファッションでマルグリットを演じています。アラとのレズビアン関係を噂されたランボーという女性のデザインによる※アールデコ調のドレスで演じ、これもまた大成功を収めました。

時代が下って、ハリウッド映画でこの物語のヒロインを演じたのは、グレタ・ガルボです。彼女は髪を縦ロールに巻き、※クリノリンスタイルと呼ばれる、あの『風と共に去りぬ』でスカーレット・オハラが着ていたような、円錐状に大きく広がるフープスカートのドレスを着て演じました。ほぼ原作に忠実なコスチュームだそうですが、グレタ・ガルボは骨太で大柄な女性で、脚が太いことがコンプレックスでしたから、それをカバーする意味あいもあったのかもしれません。

『椿姫』はオペラの演目としても、有名です。近年最も名演と言われたのは、あの20世紀を代表する歌姫、マリア・カラスがヒロインを演じた時のこと。彼女はこの時、バッスルスタイルという、スカートが腰の後ろで大きく盛り上がっているデザインのドレスで演じました。

※アールデコ調のドレス

ポール・ポワレによってコルセットから解放されたこの時代の女性たちは、ココ・シャネルの提唱する新しいファッションに飛びついた。シュミーズドレス、カーディガンのツインセット、ジャージー素材のドレスなどいわゆる"モガ＝モダンガール"のスタイルで、それまでに比べるとはるかに着心地のいい、粋《いき》でおしゃれなファッションだった

過激なダイエットによってその美貌《びぼう》を手に入れた彼女にとって、ヒップをふくらませて全身のシルエットをくっきりと見せるバッスルスタイルは、自分への最高のプレゼントだったのでしょう。

日本では、入江《いりえ》たか子《こ》さんという、お公家さん出身の美人女優が演じて全国公演をしています。また名女優の誉れ高い、先代の水谷《みずたに》八重子《やえこ》さんも演じていらっしゃいます。どちらもグレタ・ガルボに準じた、クラシックなドレス姿でした。この時はオペラ版の『椿姫』を翻訳した台本をそのまま使っていました。オペラは歌曲あっての構成なので、物語の奥行きは削り取られてしまいます。ですからこの時は残念ながら、今ひとつ底の浅い仕上がりだったと記憶しています。

第二次世界大戦前には岡《おか》田《だ》嘉子《よしこ》さんがヒロイン役で、『椿姫』が映画化されたこともありました。ですがその撮影中、岡田嘉子さんは内縁の夫を捨て、年下のアルマン役の俳優と失踪。その映画は結局完成しませんでした。その後、映画界に復帰したのですが、失踪から9年後、彼女は今度は別の愛人の俳優と手に手を取って国境を越え、ソ連に亡命してしまいました。

『椿姫』という作品は、そのように、ひと癖もふた癖もある女優たちが次々と

※
クリノリンスタイルのドレス

19世紀半ば、クリノリンという下着が発明され、それによってクリノリンスタイルが確立した。鯨のヒゲや針金を輪にして重ね、はりのある布地を張ったもので、それによってドーム型に大きく広がるスカートが実現したのである
ZUMA PRESS/IPJNET.com

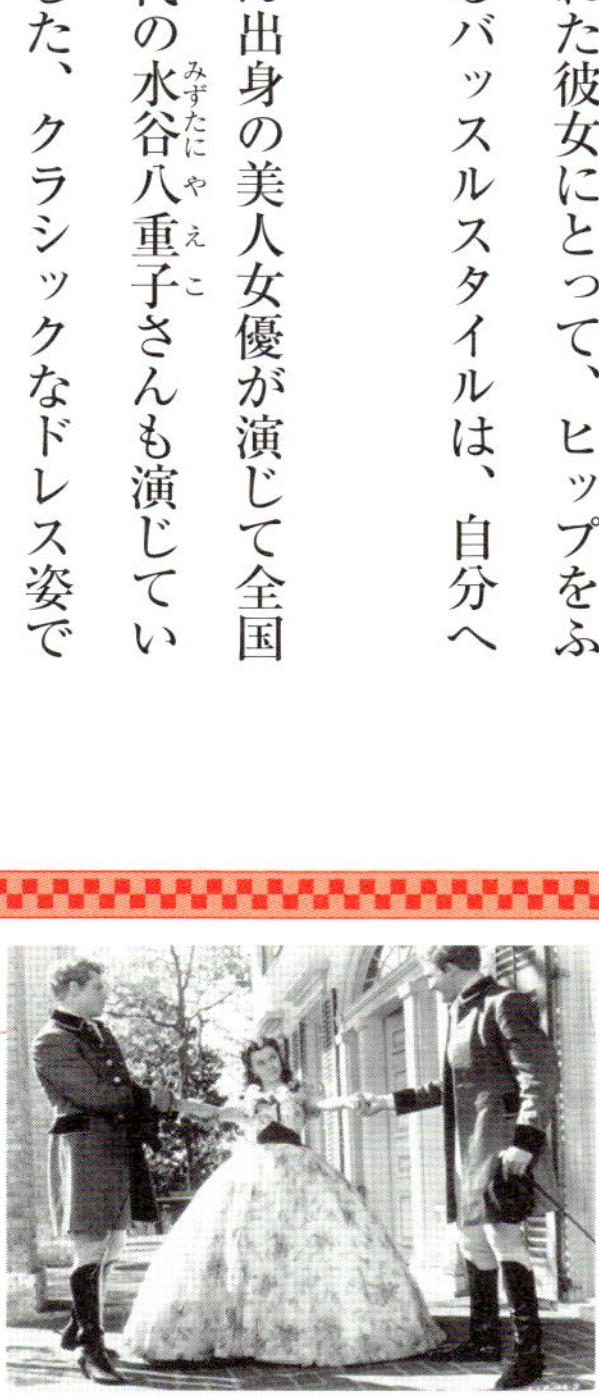

演じ、それに付随するドラマを次々と生み出してきた名作なのです。

アルマン役には自分のお気に入り男優を

どうして洋の東西を問わず、大女優と呼ばれる人たちは次々に『椿姫』を演じたがるのでしょう？　それは彼女たち自身が、椿姫だからです。

華やかで美しくて、贅沢三昧の暮らし。娼婦ではないにしろ、女優は人から愛されなくては成り立たない仕事です。女優として、どこか魂を売っている自覚もあるのかもしれません。肺病ではないにしろ、未来に対する漠然《ばくぜん》とした不安が、まるで小さな病巣のように、いつも胸につかえているのでしょう。美貌も仕事も名誉も、ほしいものはすべて手に入れた、そんな状態の彼女たちは、アルマンが登場する直前のマルグリットそのものなのです。

相手役のアルマンに、その時々の自分のお気に入りの若手俳優を抜擢《ばってき》するのも、彼女たちの共通項。アラ・ナジモヴァは、衣装をデザインしたランボーの結婚相手、"世界の恋人"と呼ばれた伝説の美男子、ルドルフ・ヴァレンチノ※を指名しました。サラ・ベルナールは、その時々の愛人を抜擢したといいます。

水谷八重子さんは美男俳優として有名な森雅之《もりまさゆき》さんと共演し、日本を代表する

※ルドルフ・ヴァレンチノ
（1895〜1926年）
イタリアで生まれ、18歳で渡米。ダンサーとして映画のエキストラ出演し、注目を集める。『黙示録の四騎士』、『血と砂』などエキゾティックな美男役で世界中の女性ファンの心をつかんだ。31歳で胃潰瘍に倒れ、夭折《ようせつ》している。彼の棺を置いた教会は1万2千人以上の女性ファンに取り囲まれたという

美男美女として話題をさらいました。

さて、ドレスのデザインはさまざまでも、この物語の結論は、ひとつ。

結局、何よりも素晴らしい宝物は、愛だったということ。純情な、素朴な人間の心、真心のこもった永遠の愛、それこそが宝だと、椿姫は発見するのです。

そして最後にアルマンの愛を取り戻したマルグリットは、喜びの中、死んでいきます。美貌もお金も真実の愛までも手に入れてしまったら、大きなマイナスを引き受けなければバランスがとれません。

これこそが、私が以前から言っている〝正負の法則〟。ドラマティックな人生には、ドラマティックな結末が似合うのです。この幕切れもまた、大女優たちがこぞって演じたがる、ポイントなのかもしれません。

おしゃれコラム 16

~『椿姫』に魅せられた女優~

『椿姫』は、その時代を代表する名女優が全身全霊をこめて演じてきたヒロインです。

頂点を極めた女が真実の愛に殉じるその姿を、大女優ほど演じてみたくなるのでしょう。

AS/ORION PRESS

**サイレント時代を代表する、
ロシア出身のハリウッド女優**

アラ・ナジモヴァ

1879～1945年

美貌と演技力で"ロシアの明星"と謳《うた》われ、ハリウッドに招かれてサイレント期の大女優に。『椿姫』を撮ったのは1921年、その美しさがピークの頃。ダンサーとしてその他大勢の中にいたルドルフ・ヴァレンチノをアルマン役に大抜擢し、美男美女の映画として大当たりしました。彼女自身はレズビアンで、衣装を担当したのは恋人のナターシャ・ランボーという女性（ナターシャはその後、ヴァレンチノと結婚）。アールデコ調の、当時としては斬新なドレスで『椿姫』を演じ、絶賛されました

**『椿姫』が当たり役だった
アールヌーボーの女神**

サラ・ベルナール

1844～1923年

ヨーロッパ中の国王が、その愛を得るために王冠を差し出したといわれる名女優。36歳で自分の一座を旗揚げし、当たり役となったのが『椿姫』のマルグリット。その当時パリの街で大流行していたアールヌーボーのドレスを着て演じ、大評判になりました。たおやかなシルエットと豪華な刺しゅうやレースで女らしい曲線を演出するドレスは、マルグリットのイメージにぴったり。その時々の愛人をアルマン役に抜擢したことも伝説になっています。2千回以上演じ、得た報酬で贅沢を極めたといわれています

ROGER-VIOLLET/ORION PRESS

スウェーデンで生まれ、ハリウッドに
磨き上げられた大女優

グレタ・ガルボ

1905〜1990年

映画『グランド・ホテル』でも有名なグレタ・ガルボは、1937年、その頂点を極めた32歳の頃、『椿姫』を演じました。アルマン役には、若き日のロバート・テイラー。髪を縦ロールに巻き、衣装はスカートを大きく広げたクリノリンスタイル。美男美女↙

が演じる悲しいラストシーンは本当に感動的なシーンです。ミステリアスなクールビューティとして一世を風靡《ふうび》し、恋多き女性だった彼女ですが、残念なことに、この作品の後、人気は凋落《ちょうらく》。36歳で引退します

AS/ORION PRESS

『椿姫』を歌い上げた
20世紀を代表するオペラ歌手

マリア・カラス

1932〜1977年

20世紀を代表するオペラの歌姫。体重が100キロあった頃に30歳年上の実業家と知りあい、結婚。夫の協力のもと、有名になりたいという執念でダイエットに成功し、スリムで美しいオペラ歌手に変身しました。ところが世界一の金持ち・オナシスと恋におち、離婚。ところがオナシスに捨てられ、彼女は孤独のうちに亡くなりました。スカートの後ろをふくらませたバッスルスタイルで彼女が歌い上げたオペラ『椿姫』は伝説的な絶唱。贅沢で傲慢で愛にどん欲なその姿は、まさに椿姫そのものでした

MPTV/ORION PRESS

歌舞伎はアートの宝庫

おしゃれの心得

歌舞伎が生まれて400年。
出雲《いずもの》阿国《おくに》の昔から、歌舞伎はパンクで
キッチュなジャパンアートの宝庫です。
見《み》目《め》麗《うるわ》しい役者たちの美しさはもちろんですが、
衣装にも注目してごらんなさい。
足袋《たび》の色から下着の色、重ねた着物の色や柄、
扇子の色から、帯の色……、その色彩のバランスは
まさに日本の美学の結晶です。

息を飲むほどの玉三郎の美しさ

今、見るべき歌舞伎俳優ナンバーワンはこの人、坂東玉《ばんどうたま》三郎《さぶろう》。その美しさ、演技力、表現力は超一流。歌舞伎を代表する名女形であると同時に、ヨーヨー・マ、ベジャール、デュポン、ジョルジュ・ドンらと共演するなど、舞踊家としても世界的に有名です。写真は『道成寺《どうじょうじ》』より
（写真／松竹、福田尚武）

※〝出雲阿国《いずものおくに》〟というファンキーな女性が京の四条河原で『かぶき踊《おどり》』を踊ってから、もう400年以上たつのだそうです。

『かぶき踊』の〝かぶく〟は〝傾く〟と書き、既成の道徳を打破して自由自在に振る舞うこと。阿国は派手な着物に数珠《じゅず》やクルスをぶら下げ、今で言うパンクロッカーのようなスタイルで舞台に立ち、人々の意表をついたパフォーマンスをして、〝傾き者〟と呼ばれました。好色な男の形態模写をして踊ったり、客席から幽霊を出して見せるなど、斬新な舞台演出で観客を魅了し、たちまちスーパースターとなったのです。

以来『かぶき踊』は反権力の匂いを持つ娯楽として歌舞伎と呼ばれるようになった今に至るまで、脈々と受け継がれてきました。

役者が、衣装が、色がきれい！

現代の歌舞伎の魅力は、なんといってもその美しさにあります。見目麗《みめうるわ》しい、今でいうなら〝イケメン〟役者が揃っています。

まず誰よりも美しいのは、女形の坂東玉三郎《ばんどうたまさぶろう》さん。『道成寺《どうじょうじ》』をはじめ、『鷺娘《さぎむすめ》』、『鏡獅子《かがみじし》』など、この世ならぬ美しい舞姿です。また〝傾城《けいせい》〟という、

※**出雲阿国**
出雲（島根県）出身の天才ダンサー。1603年、京都四条河原で『かぶき踊』を披露し、一大センセーションを巻き起こした。男装して茶屋で戯れる男の真似をして、面白おかしく踊ったという。それが今に続く歌舞伎のルーツになったといわれている

江戸時代の大人の遊び場・吉原でいちばん売れっ子の花魁《おいらん》、今でいうならスーパーアイドルを演じる時の、あで姿は絶品です。

一方男ぶりなら、片岡仁左衛門《かたおかにざえもん》さん。哀愁があり可愛いげもあり、しかも男の色気と品格、両方あわせ持つ超一流の美男です。『助六曲輪初花桜《すけろくくるわのはつざくら》』で花道から登場し、和傘を開いてぱっと見得《みえ》を切る、その美しさといったら！

そして若手で今、私が最も注目しているのは、市川染五郎《いちかわそめごろう》さん。二枚目を演じても女形をやっても、芸があって華がある。美しいだけではなく毒があって、セクシーなのです。

もちろん、最近襲名したばかりの中村勘三郎《なかむらかんざぶろう》さんも、私の大好きな素晴らしい役者さん。演技力があり、粋《いき》で洒脱《しゃだつ》で、しかもお父さんの先代・勘三郎さん譲りの愛嬌《あいきょう》があって、なんともいい役者になりました。

坂東三津五郎《ばんどうみつごろう》さん、市川海老蔵《いちかわえびぞう》さん、尾上菊之助《おのえきくのすけ》さんなどなど、今の歌舞伎界は実力のあるスター俳優がたくさん揃っています。

衣装の美しさにも、着目してください。

足袋《たび》の色から下着の色、重ねた着物の色や柄、そして扇子の色、帯の色、腰ひも一本に至るまで、その色彩バランスの妙は、まさに日本の美学の結晶です。

またそれぞれの着物の色や柄は役の性根、つまりキャラクターを表現しています。

赤や黒に金を合わせた衣装で威圧感を表現したり、淡い明るい色柄の着物で、人柄のよさを表したり。茶系のグラデーションで、上品さや高潔さを暗示することもあります。そして、顔の色や隈取り《くまど》の色合いもまた、その役の性質を表す重要なファクターです。

色彩感覚が鈍ってきてしまった今の日本人にとって、こうしたグレードの高い色の楽しみ方を目の当たりにできるのは、歌舞伎の世界だけかもしれません。縮緬《ちりめん》や綸子《りんず》、緞子《どんす》など、日本独特の生地の風合いも、歌舞伎の衣装なら、その粋を味わうことができます。

つまり、歌舞伎はジャパニーズアートの宝庫。歌舞伎を観にいくのは、美術展を観にいくようなものなのです。

歌舞伎はお江戸のミュージカル

当初歌舞伎は、阿国たち女性の踊り子が集団で踊る出しものとして始まりました。その踊りがあまりに面白く、セクシーだったので観客が殺到し、その人

色でキャラクターを表現する

衣装の色以外にも、化粧でもキャラクターを表現している。有名なのは「隈取り」。ほかに、写真のように顔を赤く塗った「赤ッ面」という化粧も。大悪人の家来や手下などの腕っぷしの強いキャラクターに使われることが多い。写真は『暫《しばらく》』より（写真／松竹）

気に脅威を感じた施政者は、女が舞台に上るのはまかりならぬ、と禁止令を出しました。

すると今度は若い男性だけの『若衆歌舞伎《わかしゅうかぶき》』が始まり、女性たちの踊りよりもさらにセクシーで面白い、ということになり、施政者はまたもや禁止令を発布。そうやって追いつ追われつ、施政者と興行主とのせめぎあいが繰り返されながら、歌舞伎はしだいに進化していったのです。ですから、封建主義を下敷きに物語は作られているものの、どこかに反権力の意地があり、庶民の視点に立って、作られています。

また、今のようにマスコミが発達していなかった江戸時代には、歌舞伎はテレビのワイドショー※のような役割も果たしました。現実に起こった事件がそのまま芝居の材料となり、人々の好奇心を満足させたのです。

貢ぐために公金横領してしまった男と遊女の心中事件は、よりドラマティックに、よりロマンティックに味つけされて、舞台化されました。君主が失脚し、お家断絶、その後に続いた敵討《かたきう》ちは、次から次にサイドストーリーを生み出しつつ、一大スペクタクルへと発展しました。それらの中でもとりわけ面白い演目が、伝承され、今も上演されているのです。

※ワイドショーのような役割

1744年の早春、中年男性の死体が発見され、そばに落ちていた草履《ぞうり》から犯人は婿の団七と断定、指名手配となった。という実話がその年の夏、人形芝居となって大ヒット。さらには人間が演じる芝居になり、大評判に。それが歌舞伎の演目『夏祭浪花鑑《なつまつりなにわかがみ》』として現代にまで続き、2004年夏には中村勘三郎(当時・勘九郎)がニューヨークで公演した。ほかにも『仮名手本忠臣蔵《かなでほんちゅうしんぐら》』、『曽根崎心中《そねざきしんじゅう》』など、実際に起こった事件を脚色した演目はいくつもある

また歌舞伎は江戸時代、連日、日の出から日の入りまで演じられたとか。長い芝居の最中、食べたり飲んだりしながらだらだらと見物している観客の関心をひきつけるために、役者は〝見得〟や〝だんまり〟など、独特の演技法を生み出しました。観客第一のエンターテインメントとして洗練され、磨き上げられて、現代に続く『歌舞伎』となったのです。

つまり歌舞伎は、いわば日本舞踊と邦楽とストレートプレイが渾然一体《こんぜんいったい》となった和製ミュージカル。日本人として、知らずにいるのはもったいないと思いませんか?

あなたの中のDNAが、歌舞伎に反応する

とはいえ、歌舞伎を観にいったのに、ついつい寝てしまった、という人もいるでしょう。たしかに、演目によっては台詞《せりふ》が聞き取りにくく、動きが緩慢で話がなかなか展開しません。物語のベースとなる倫理観が古いので、バカな殿様のために忠臣が苦労するなど、理不尽なストーリー展開が多くて感情移入しにくいのも認めます。おじいさんとしか言いようのない俳優が若い娘役を演じていることに、違和感を感じるのも無理はありません。ですがそうしたマイナ

ス要因を認めたうえで、あえて私は歌舞伎を観てほしいのです。

美しいけれど、ときにキッチュ。面白いけれど、ちょっと退屈。きれいだけど、嘘くさい。そう思って観ているうちに、あなたの中のDNAが、ぴくんぴくんと反応し始めるはずです。

歌舞伎に出てくる粋な女の立ち居振る舞いを真似してみたり、心に残る七五調の台詞が日常生活の中でふと甦《よみがえ》ってきたり。売店で買ってきた縮緬《ちりめん》の小袋を、いつの間にかポーチとして使いこなしている自分に驚いたり。和の美意識がいつの間にかあなたの暮らしに入り込み、彩りを与えてくれるのです。

今様《いまよう》の阿国、現代の芳沢《よしざわ》※あやめといわれる傾き者の私が言っているのですから、間違いありません。

そうやって美しいモノを知り、愛《め》でていくうちに、不思議なことに、あなたはあなた自身をもっと、好きになれるはず。そしていつの間にか、ひとりでいてもひとりを楽しめる、大人の女になっていることでしょう。

本物の文化には、それだけの力があるのです。

※芳沢あやめ
（1673～1729年）
元禄から享保年間にかけて活躍した天才女形にして女形の開祖。彼の言葉を書き留めた『あやめ草』は女形の心得を実感をこめて著した名著とされ、"ふだんの暮らしから女の心で暮らすこと"など、厳しい修業がうかがえる

~見目麗しき歌舞伎役者~

歌舞伎の最大の魅力は、女形、男形に限らず、なんといっても役者の美しさにあります。

顔も姿も声も芸も、すべてが素晴らしいイケメン歌舞伎俳優たちを、ご紹介しましょう。

顔よし、声よし、姿よし！
今、歌舞伎界でいちばんのいい男

片岡仁左衛門

すらりと背が高く、色気もある超二枚目。関西出身で上方の和事はもちろんのこと、江戸の荒事も見事に演じる実力派。片岡孝夫と名乗っていた時代、坂東玉三郎さんとの“玉孝コンビ”で一世を風靡《ふうび》し、人気、実力を認められて98年、三男でありながら片岡仁左衛門という大きな名前を襲名しました。写真は『助六曲輪初花桜』の助六

まさに“かぶき”もの！
若手ナンバーワンの歌舞伎俳優

市川染五郎

美男というだけでなく、芝居がうまく、毒もあるところが魅力の染五郎さん。舞台『ハムレット』や三谷幸喜《みたにこうき》さんの芝居に出たり、『劇団☆新感線』への客演、また立て続けに映画に主演するなど、“役者”として意欲的。本業の歌舞伎でも初役に挑戦したり、眠っていた作品を発掘して自ら新演出するなど、近年ますます“かぶいて”います。写真は当たり役の『勧進帳』の富樫《とがし》

観客の視線をひきつける
まさに華のある役者

市川海老蔵

江戸歌舞伎の宗家・市川家の名跡を継ぐ御曹司。2004年、十一代目市川海老蔵を襲名しました。長身で整った顔立ち、よく響く美声で、観客の視線を一気にひきつける、華のある役者です。瀬戸内寂聴《せとうちじゃくちょう》さんの『源氏物語』の光源氏、大河ドラマ『武蔵MUSASHI』を演じていた頃よりひと回りもふた回りも大きな役者になり、楽しみな存在です。写真は『勧進帳』の弁慶

写真提供／松竹

ピアフの愛

おしゃれの心得

『愛の讃歌』ほど的確に愛の真実を
歌った曲はほかにない、というのが私の結論です。
まるで目の前にいるセルダンに
語りかけているかのような、無垢《むく》で純粋な愛の言葉。
打算も計算も何もかも投げ出して、
ただひたすらに人を愛することの喜びを
心の底から歌い上げている、素晴らしい歌です。

シャンソンの女王、エディット・ピアフ

1915年、パリの下町に生まれ、路上で歌い投げ銭をもらって成長した。20歳で一流クラブと専属契約し、一気にシャンソン界のトップスターに。『バラ色の人生』、『愛の讃歌』など永遠の名曲を残し、63年48歳の若さで死去
ROGER-VIOLLET/ORION PRESS

私は歌手としてデビューした頃から、『愛の讃歌』を歌い続けてきました。そして1979年、渋谷にあったライブハウス『ジァンジァン』の10周年記念企画に、何か芝居を、と頼まれ、エディット・ピアフの生涯を歌と一緒に物語っていく『愛の讃歌』を作ったのです。3坪ほどの小さな舞台にバンドと一客の籐椅子を置いて、私はピアフの人生を歌い始めたのでした。

真実の恋が『愛の讃歌』に結晶しました

エディット・ピアフの生涯は、波瀾万丈《はらんばんじょう》でした。幼い頃から街頭で歌い、通りすがりの人々や家々の窓から投げてもらうお金で、生きてきました。しだいに実力を認められ、ナイトクラブで歌うようになってからは、※シャルル・アズナブール、※イヴ・モンタンなどなど、同業の歌手やミュージシャンと、次から次へと恋をしました。世に出ていくための踏み台にしたり、逆に踏み台にされたり、利害関係の絡《から》んだ関係も多かったようです。

そして一流の歌手として認められた頃、ピアフはひとりの男性と知りあい、運命の恋におちたのです。プロボクサーのマルセル・セルダンでした。セルダンには妻があり、子供もいましたが、ピアフは夢中で彼を愛しました。セルダ

※**シャルル・アズナブール**
（1924年〜）

パリ生まれの国民的大物歌手。ダミ声だが歌唱力抜群で、恋に打ちのめされたダメ男の曲を歌わせたら右に出る者はいない。映画俳優としても知られている

※**イヴ・モンタン**
（1921〜1991年）

イタリア出身の世界的人気歌手。18歳の時ピアフに見出され、歌手デビュー。映画俳優としても数多くの名演を見せている。マリリン・モンローとの恋など、数多くのスキャンダルでも知られる

ンは、それまでの男と違ったのです。

ピアフは歌の世界の住人、セルダンは腕が自慢のプロボクサー。どん底から自分の力でたたき上げてきたという共通点はあるものの、ピアフとつきあい始めてからフランス国内のチャンピオンになったくらいですから、互いに対等で、尊敬しあい、純粋な愛で結びついた仲でした。

ピアフは本当に無邪気で、可愛い女性だったようです。好きになったら、一直線。食事をしていても、ナイフとフォークを持ったまま、セルダンの顔をまじまじと見つめ、幸せそうな微笑みを浮かべて、うっとりしていたとか。

当時、ピアフとセルダンの間で交わされたラブレターをまとめた本が発売されていますが、中には「愛してる、愛してる、愛してる、愛してる」と、ストレートな愛の言葉が綿々とつづられています。

『愛の讃歌』は、そのセルダンとの恋愛の最中、ピアフが作った曲です。

そこに描かれているのは、彼のためなら正義も、祖国への忠誠心も友情も、すべてを犠牲にしてもかまわないという、壮絶な覚悟。死も時もふたりを引き裂くことはできないという絶対的な自信。まさに永遠に続く、愛です。

そしてまさに歌詞と同じ文章が、セルダンへの手紙の中に記されています。

『愛の讃歌』を生んだ悲恋

ピアフは30歳の時、プロボクシングのチャンピオンだったマルセル・セルダン（左）と知りあう。恋愛期間はたった1年余り。しかし互いに忙しい合間をぬって愛を確かめあい、突然の事故で彼が亡くなるまで、幸せな時間を過ごした
PIERRE VALS/ORION PRESS

その恋が突然、悲劇的な形で終わりました。アメリカを公演中のピアフがセルダンを呼び寄せたのですが、彼を乗せてパリを飛び立った飛行機が、大西洋に墜落したのです。生存者なし……。その知らせを聞いて数時間後、ピアフは涙をふいてステージに立ち、『愛の讃歌』を歌い上げたといいます。

それからもピアフは、愛の歌を歌い続けました。自動車事故や麻薬中毒などスキャンダルにまみれ、しだいに声が出なくなり、音程も定かではなくなりましたが、ピアフはピアフ。本当の愛を歌う歌手として、人々は彼女の歌を、とりわけ『愛の讃歌』を、聴きたがったのです。

身長147センチ、決して美人ではなく、髪の毛は薄く、胸は大きいけれどウエストが太くて、ファッションセンスは最低でした。窮屈なパンプスが苦手で、いつも娼婦がはくような派手なミュールをつっかけていたとか。

そしてハートは、赤ちゃんみたいに天真爛漫《てんしんらんまん》。ユーモアがあって頭がよくて、人を笑わせることが大好きな寂しがり屋だったといいます。

ピアフはセルダン亡き後も、たくさんの恋をしました。40代半ばには21歳年下の歌手・テオと同棲を始め、周囲の反対を押し切って、47歳で結婚。そして1年後、そのテオの腕の中で、燃え尽きるように亡くなりました。

"愛してる、愛してる、愛してる……"

『ピアフ　愛の手紙　あなたのためのあたし』（平凡社）。エディット・ピアフとマルセル・セルダンが交わしたラブレターをまとめた本。『愛の讃歌』はこれらの手紙と同時期に書かれていたことが、この書簡集によって判明した

愛に生きたピアフの人生

~ Life of the Piaf which was useful on love ~

16歳で恋人と駆けおちし、妊娠、出産。生まれた子供はすぐに死んでしまい、それから後は自暴自棄になって、街角で歌を歌いながらその日暮らしを重ねたピアフ。彼女にとって恋愛は、生きる手段であり目的でもあり、人生から切り離すことのできない営みでした。

一流の歌手になってからはイヴ・モンタンをはじめ、数多くの男性と恋をしましたが、どの恋もみな、どろどろの恋愛関係。有名で人気のあった彼女を踏み台にするか、彼女が踏み台にするかの違いこそあれ、彼女の恋にはいつも、利害関係と恋愛感情がもつれあっていました。

そんな彼女が初めて純粋な恋をしたのは、30歳の時。マルセル・セルダンはボクシングのチャンピオンで、彼女を利用する必要がありませんでした。ふたりは心からひかれあい、愛しあったのです。ところが、悲劇がふたりを引き裂きました。

その後もいくつかの恋を経て、最後に出会ったのが、テオ・サラポ。21歳年下の彼の愛に支えられ、正式な妻として幸せな1年を過ごした後、ピアフは48歳でこの世を去ったのです。

イヴ・モンタン

1945年、映画で共演中のイヴ・モンタンとピアフ。ピアフは新人歌手として現れた彼を、発声からすべて鍛え直して、一人前のシャンソン歌手としてデビューさせたのです

UNIPHOTO PRESS

マルセル・セルダン

ボクシングの世界チャンピオン、マルセル・セルダンは、ピアフがその人生で最も愛した男性。彼には妻子がいましたが、ふたりはその恋を隠そうともせず、情熱的な関係を続けました

UNIPHOTO PRESS

ジャック・ピルス

セルダンの死と交通事故、麻薬中毒でぼろぼろになっていたピアフを救った、歌手であったジャック・ピルス。彼はピアフが立ち直ったのを見届けてから離婚しました

ROGER-VIOLLET/ORION PRESS

テオ・サラポ

美容師だった彼はピアフに献身的に尽くし、病で衰弱していたピアフも彼を歌手としてデビューさせました。1年ほどの結婚生活でしたが、21歳の年齢差を超えた真剣な愛でした

SIPA/ORION PRESS

この完璧《かんぺき》な愛の世界を、そのまま伝えたい

クラシックからジャズ、世界各国のポピュラーソングまで、古今東西の愛の歌を、今までずいぶん調べてきました。ですがこの『愛の讃歌』ほど、的確に愛の真実を歌った曲はほかにない、というのが私の結論です。メロディが美しく、それを最初に歌ったピアフの歌唱力も、聴いていて鳥肌が立つほどの絶品でした。ですが何より素晴らしいのは、この歌詞。まるで目の前にいるセルダンに語りかけているかのような、無垢《むく》で純粋な愛の言葉。飾りも嘘もない、真実の言葉です。打算も計算も何もかも投げ出して、ただひたすらに人を愛することの喜びを心の底から歌い上げている、素晴らしい歌詞です。

ですから私はこの曲を歌う時にはいつも、まず私自身が日本語に訳した詞を暗唱します。その後から、オリジナルの歌詞で歌うのです。一時期、訳した詞で歌ったこともありますが、日本語ではもとの詞の味わいを語り尽くせないので、こういうスタイルにしました。この完璧な愛の世界を、そのままみなさんに届けたいのです。

それが私の、使命であると思うのです。

『エディット・ピアフ　エターナル』

『愛の讃歌』をはじめ、『バラ色の人生』など、ピアフの名曲が詰め込まれた2枚組のベストアルバム。ピアフの入門編として最適。「ピアフの声は人生とか宇宙とか人間の原罪とか、そういう奥深いものを感じさせます」(東芝EMI)

愛の讃歌

エディット・ピアフ作詞　マルグリット・モノー作曲　美輪明宏訳詞

高く青い空が頭の上に落ちて来たって
この大地が割れてひっくり返ったって
世界中のどんな重要な出来事だって
どうってことありゃしない
あなたのこの愛の前には
朝目が覚めたときあなたの温かい掌の下で
あたしの身体が愛にふるえている
毎朝が愛に満たされている
あたしにはそれだけで充分

もしあなたが望むんだったらこの金髪だって染めるわ
もしあなたが望むんだったら世界の涯だってついて行くわ
もしあなたが望むんだったら
どんな宝物だってお月様だって盗みに行くわ
もしあなたが望むんだったら
愛する祖国も友達もみんな裏切って見せるわ
もしあなたが望むんだったら
人々に笑われたってあたしは平気
どんな恥ずかしいことだってやってのけるわ

そしてやがて時が訪れて　死があたしから
あなたを引き裂いたとしてもそれも平気よ
だってあたしも必ず死ぬんですもの
そして死んだ後でも二人は手に手を取って
あのどこまでもどこまでも広がる
真っ青な空の碧の中に座って永遠の愛を誓い合うのよ
何の問題もないあの広々とした空の中で
そして神様もそういうあたし達を
永遠に祝福して下さるでしょう

エピローグ

人はいくつになっても成長します。
夢はいつでも、かなうのです

私は幼い頃から、ひとつの夢を持っていました。

それは、スタアになること。長谷川一夫《はせがわかずお》さんや上原謙《うえはらけん》さん、ロバート・テイラーのような、きれいな男優さんに憧れました。マレーネ・ディートリヒやグレタ・ガルボ、原節子《はらせつこ》さんのように美しく、特別な魅力の持ち主になりたいと、心の底から望んでいました。

ところが第二次世界大戦が起こり、美しいモノ、繊細で上品でロマンティックなものはすべて否定されてしまう、ひどい時代となりました。戦中から戦後にかけての日本人は生きていくのに精いっぱいで、皆、夢も希望もすべてなくしてしまい、自暴自棄になりかかったこともあります。ですが必死で頑張るうちに、ようやく道は開けました。その時、大いに人々の力となったのは、日本人たちの持ち前の好奇心と、向上心でした。私もまた、何かに興味を持つと、面白そうなものには飛びついて、骨の髄まで味わい尽くさずにいられません。大好きな美しいモノ、ロマンティックなものを、愛《め》でずにいられないのです。そうして得た種々雑多な知識や知恵、感性を、私は整理分類して頭の中にストックしておきました。

稽古ごとや習いごとなど、自分を向上させてくれる経験も大好きです。とりわけ、ショービジネスに必要と思われる歌や踊りに関しては、どん欲なまでに身につけました。自分を向上させるため、自分を磨くためには、20代・30代・40代・50代・60代を通して、自己投資を惜しみませんでした。

その集大成が、今のこの私です。

今の私は、舞台をつくる時、俳優・脚本・照明・音楽・大道具・衣装・演出と、何から何まで総合的に腕を振るうことができます。こうして文章を書く時も、読者のみなさんにお伝えしたいこと、お話ししたいことが、次から次へとあふれ出してきます。それは好奇心と向上心が、私をここまで、育て上げてくれたからです。そして今、この本の最後にみなさんに伝えたいのは、人間はいくつになっても、成長し続ける生き物だということです。

みなさんは今、もうとっくに大人になった気分でいるかもしれません。ですが実はまだまだ、発展途上の子供にすぎません。人間は20代よりも30代、30代よりも40代と、どんどん成長し続けることが可能です。40代よりも50代、50代よりも60代と、長生きすればするほど、人生は楽しく、面白くなるのです。

ですから、好奇心や向上心を失わないでください。学ぶことを諦めないでください。20代や30代なら、まだまだこれから。40代、50代も、今からが人生、面白くなる盛りです。

この本では『おしゃれ大図鑑』と銘打って、さまざまな美しいモノ、人生を豊かにしてくれるものを、私なりにご紹介してみました。これからのあなたの人生を豊かに彩り、より面白いものにするお手伝いができれば、幸いです。

２００５年8月　美輪明宏

写真、資料協力

本間日呂志
ひまわりや（©Junichi Nakahara）
御堂義乗
城石裕幸
マッセ*メンシュ（P15　衣装作成）
弥生美術館・竹久夢二美術館
夢二郷土美術館
蕗谷龍夫
ルネプラン
人力飛行機舎
小西　修
阪急コミュニケーションズ
ユニバーサルミュージック
徳島県立近代美術館
AFLO FOTO AGENCY
パルコ劇場

主な参考資料

『高畠華宵　大正・昭和　レトロビューティー』（河出書房新社）
『思い出の名作絵本　蕗谷虹児』（河出書房新社）
『内藤ルネ　少女のカリスマ・アーティスト』（河出書房新社）

モデル

山口いづみ（カバー、P15）
田中伸子（P15）
山田いずみ（P24）

イラスト

はまのゆか（P35）
おかだともこ（P83）

ブックデザイン

ブランシック
　坂井智明
　中島健作
　梅田　愛

JASRAC出0508182-210

＊ プロフィール ＊

美輪明宏

みわ・あきひろ

みわ・あきひろ●1935年、長崎県長崎市生まれ。国立音楽大学付属高校中退。52年17歳でプロ歌手としてデビュー。57年『メケメケ』、66年『ヨイトマケの唄』が大ヒット。67年寺山修司主宰の天井桟敷旗揚げ公演『青森県のせむし男』で女優として初舞台。以後『毛皮のマリー』、三島由紀夫脚本『黒蜥蜴』、『双頭の鷲』『椿姫』『愛の讃歌』など、伝説と呼ばれる舞台の主演を務める。97年再演の『双頭の鷲』で読売演劇大賞優秀賞を受賞。舞台以外にもコンサート、講演、雑誌連載、執筆活動、テレビ出演など、幅広く活躍中。主な著書に『紫の履歴書』（水書坊）、『人生ノート』『ああ正負の法則』『霊ナァンテコワクナイヨー』（PARCO出版）、『天声美語』（講談社）、『強く生きるために』『地獄を極楽にする方法』（主婦と生活社）、瀬戸内寂聴さんとの対談集『ぴんぽんぱん・ふたり話』『愛の話　幸福の話』『乙女の教室』（集英社）、齋藤孝さんとの共著『人生讃歌』（大和書房）、『人生学校虎の巻』（家の光協会）、『戦争と平和　愛のメッセージ』（岩波書店）など

美輪明宏のおしゃれ大図鑑
2005年 8月31日　第１刷発行
2022年12月24日　第10刷発行

著　者　美《み》輪《わ》明宏《あきひろ》
発行者　海老原美登里
発行所　株式会社　集英社
〒101-8050
東京都千代田区一ツ橋2-5-10
電話　編集部　03-3230-6350
読者係　03-3230-6080
販売部　03-3230-6393（書店専用）

印刷所　大日本印刷株式会社
製本所　加藤製本株式会社

ISBN978-4-08-780413-3　C0095
定価はカバーに表示してあります。